단박에
합격하기

Medical Laboratory Technologist

# 임상병리사
# 실전모의고사 실기편

- 한국보건의료인 국가시험원 문항개발지침 반영
- 최신 출제경향을 분석하여 출제빈도가 높은 문제로 실전모의고사 10회분 수록
- 정확한 정답과 명쾌하고 간략한 해설 수록

홍아란 지음

군자출판사

# 임상병리사
## 실전모의고사(실기편)

첫째판 1쇄 인쇄 | 2019년 10월 01일
첫째판 1쇄 발행 | 2019년 10월 07일
첫째판 2쇄 발행 | 2021년 11월 11일

지  은  이 홍아란
발  행  인 장주연
편 집 디 자 인 유현숙
표 지 디 자 인 김재욱
기      획 나영주
발  행  처 군자출판사(주)
          등록 제 4-139호(1991. 6. 24)
          본사 (10881) 파주출판단지 경기도 파주시 회동길 338(서패동 474-1)
          전화 (031) 943-1888  팩스 (031) 955-9545
          홈페이지 | www.koonja.co.kr

ISBN 979-11-5955-488-9
정가 40,000원

## 머리말

수험생 여러분, 안녕하세요.
여러분들의 임상병리사 국가시험 합격을 위해 이번 실전모의고사(실기편)을 출판하게
되었습니다. 준비하는 과정 가운데 어려움 없이 잘 준비하고, 좋은 결과 있기를 기도하겠습니다.
이 책을 출판할 수 있도록 허락해주신 하나님께 이 모든 영광을 돌립니다.


"여호와의 말씀이니라 너희를 향한 나의 생각을 내가 아나니 평안이요 재앙이 아니니라 너희에
게 미래와 희망을 주는 것이니라"(예레미야 29장 11절)

2019년 9월 1일
저자 홍아란

## 응시원서 접수 안내

### (1) 응시자격

#### 가. 시험직종

- 임상병리사

- 방사선사

- 물리치료사

- 작업치료사

- 치과기공사

- 치과위생사

- 보건의료정보관리사

- 안경사

#### 나. 응시자격

- 의료기사 등에 관한 법률 제4조 또는 동법률 부칙 (1995.1.5) 제4조의 규정에 의한 자격을 가진 자로서 동법률 제7조의 규정에 해당하지 아니하는 사람 (재학사실확인서 제출)

#### 다. 시험직종 별 안내사항

- <임상병리사, 방사선사, 물리치료사, 작업치료사, 치과기공사, 치과위생사, 보건의료정보관리사, 안경사> 국가시험에 응시함에 있어 1995년 10월 6일 당시 보건사회부장관이 인정하는 외국의 해당 전문대학 이상의 학교에 재학 중이던 자로서 2020년 4월 졸업예정자에게는 응시자격을 부여하되, 2020년 4월말 이전에 졸업이 확인된 자에 한하여 합격을 인정합니다.

### (2) 응시원서 접수 시 유의사항

#### 가. 응시원서 접수는 인터넷 접수를 원칙으로 합니다.

- 인터넷 접수가 어려운 경우 접수기간 내에 한국보건의료인국가시험원(별관 고객지원센터 서울 광진구 자양로 126)에 비치된 컴퓨터를 이용하여 인터넷 접수가 가능합니다. 다만, 외국대학

졸업자의 경우에는 반드시 국시원을 방문하여 필수서류확인 후 접수하여야 하며, 이미 서류를 제출하여 응시경험이 있는 경우에는 인터넷 접수가 가능합니다.

## 나. 응시지역 변경

- 필기시험의 경우 시험장소 공고 7일전까지 [국시원 시험안내 홈페이지] 로그인 후 마이페이지에서 변경가능하며, 시험장소 공고 이후부터 시험일 3일 전까지는 [국시원 홈페이지-원서접수-응시지역 변경안내]에서 '응시지역 변경 신청서' 서식을 다운로드하여 작성 후 증빙서류와 함께 팩스 또는 전자우편으로 제출하여야 합니다.

- ※ 실기시험의 경우 원서접수 마감 후 3일이내에 [국시원 시험안내 홈페이지] 로그인 후 마이페이지에서 변경가능하며, 개인별 시험장소 및 입실시간 공지 이후 2일 이내 [국시원 홈페이지-원서접수-응시지역 변경안내]에서 '응시지역 변경 신청서' 서식을 다운로드하여 작성 후 증빙서류를 팩스 또는 전자우편으로 제출하여야 합니다. 단, 실기시험 응시지역 변경 요청 시 입실시간 변경은 불가합니다.

## 다. 응시원서 접수 마감 후

- 추가접수를 받지 않으므로 반드시 접수기간 내에 접수하시기 바랍니다.

## 라. 응시원서의 기재내용

- 사실과 다르거나, 기재사항의 착오·누락 또는 연락불능 및 응시자격 결격 등으로 인한 불이익은 응시자의 책임으로 합니다.

## 마. 응시서류

- 반환하지 않으며, 응시원서 접수를 취소하는 경우 [국시원 시험안내 홈페이지-원서접수-응시취소 신청]에서 로그인 및 본인확인 후 '응시취소 및 응시수수료 환불 신청서'를 작성하여 등록하시면 응시수수료 환불기준에 의거 응시수수료를 환불합니다.

## 바. 장애인 및 질병, 사고 등으로 응시에 현저한 지장이 있는 자

- 응시원서 제출 시 또는 시험 30일 전까지 편의지원을 신청할 수 있으며, 장애유형별 편의제공

기준 및 절차 등은 [국시원 시험안내 홈페이지-응시원서 접수-시험관리 편의제공대상자 신청서]에서 확인하시기 바랍니다. 단, 신청기간을 경과한 경우 편의제공이 제한될 수 있습니다.

### 사. 응시원서 접수일

- 현재「국민기초생활 보장법」제2조에 의한 국민기초생활수급자, 법정차상위계층,「한부모가족지원법」제5조에 의한 한부모가족지원대상자 중 응시수수료를 면제받고자 신청하는 응시자에게는 응시수수료를 전액 감면합니다.

  ※ 응시수수료는 응시원서 접수 시 납부한 후 관련 확인 절차를 거쳐 전액 환불합니다.

  ※ 취약계층 응시수수료 감면 신청방법, 신청장소 및 기간, 제출서류 등은 [국시원 시험안내 홈페이지-원서접수-응시수수료 감면 안내]에서 확인하시기 바랍니다.

### (3) 필기시험 과목 및 시험시간표

| 시험종별 | 시험 과목(문제수) | 교시별 문제수 | 시험형식 | 입장시간 | 시험시간 |
|---|---|---|---|---|---|
| 1교시 | 1. 의료관계법규 (20)<br>2. 임상검사이론 I (80) | 100 | 객관식 | ~08:30 | 09:00~10:25 (85분) |
| 2교시 | 1. 임상검사이론 II (115) | 115 | 객관식 | ~10:45 | 10:55~12:30 (95분) |
| 3교시 | 1. 실기시험 (65) | 65 | 객관식 | ~12:50 | 13:00~14:05 (65분) |

※ 보건의료인국가시험에서 법률을 적용하여 정답을 구하는 시험문제는 시험시행일 현재 시행되고 있는 법률을 기준으로 출제됩니다.

### (4) 실기시험 범위 및 응시자 준비물

- 시험 직종 : 위생사, 임상병리사, 방사선사, 물리치료사, 작업치료사, 안경사

- 실기시험 범위 : 객관식 5지 선다형

- 응시자 준비물 : 없음

## (5) 합격자 결정방법

- 시험 직종 : 임상병리사, 방사선사, 물리치료사, 작업치료사, 치과기공사, 치과위생사,

    보건의료정보관리사, 안경사

- 합격자 결정방법 : 필기시험에 있어서는 각 과목 만점의 40% 이상, 전 과목 총점의 60% 이상

    득점한 자를 합격자로 하고, 실기시험에 있어서는 만점의 60% 이상 득점한

    자를 합격자로 함.

## (6) 응시자 유의사항

- 공개 시험직종 (16개 시험직종)

    의사, 치과의사, 한의사, 조산사, 간호사, 약사, 한약사, 영양사, 임상병리사, 방사선사, 물리치

    료사, 작업치료사, 치과기공사, 치과위생사, 보건의료정보관리사, 안경사 국가시험

    ※ 단, 의사, 물리치료사, 작업치료사, 치과기공사, 치과위생사, 보건의료정보관리사 국가시험

    실기시험의 경우 비공개

## (7) 합격자 발표 및 면허(자격)증 교부신청

- <임상병리사, 방사선사, 물리치료사, 작업치료사, 치과기공사, 치과위생사, 보건의료정보관리

    사, 안경사> 국가시험에 합격한 자는 의료기사 등에 관한 법률 시행규칙 제12조제1항에서 정

    한 서류를 첨부하여 면허교부 신청을 합니다.

## 임상병리사 국가시험 출제범위

| 시험직종 | 임상병리사 | 적용기간 | 2015년도 제43회부터 ~ 별도 공지 시 까지 | | |
|---|---|---|---|---|---|
| 직무내용 | 임상병리사란 사람으로부터 채취한 가검물이나 인체의 생리적 기능 변화를 과학적 방법으로 검사하여 질병의 진단, 예후 판정에 도움이 되도록 그 결과를 제공하는 전문 직업인이다. | | | | |
| 시험형식 | 객관식(5지 선다형) | 문제 수(배점) | 280문제 (1점/1문제) | 시험시간 | 245분 |

| 시험종별 | 분야 | 영역 | 세부항목 |
|---|---|---|---|
| 1. 의료관계 법규 | 1. 의료법 | 1. 의료인 | |
| | | 2. 의료기관 | |
| | | 3. 감독 | |
| | 2. 의료기사 등에 관한 법률 | 1. 의료기사의 업부범위 | |
| | | 2. 면허 및 국가시험 | |
| | | 3. 면허취소 및 자격정지 | |
| | | 4. 보수교육 | |
| | | 5. 벌칙 | |
| | 3. 감염병의 예방 및 관리에 관한 법률 | 1. 목적 및 정의 | |
| | | 2. 신고 및 보고 | |
| | | 3. 예방접종 | |
| | | 4. 고위험병원체 | |
| | 4. 지역보건법 | 1. 보건소 | |
| | | 2. 건강검진 등의 신고 | |
| | 5. 혈액관리법 | 1. 정의 | |
| | | 2. 혈액관리업무 | |
| | | 3. 혈액의 적격여부 검사 | |
| | | 4. 특정수혈부작용 | |
| 2. 임상검사 이론 I | 1. 공중보건학 | 1. 건강과 공중보건 | 1. 개념, 질병의 자연사 및 보건의료 실천활동 |
| | | 2. 환경위생 및 환경보건 | 1. 환경위생 및 환경보건 |
| | | | 2. 산업장 및 직업병 관리 |
| | | | 3. 식품위생관리(보존법) |
| | | 3. 역학 및 질병관리 | 1. 역학적 인자 및 조사방법 |
| | | | 2. 질병관리 |
| | | 4. 보건관리 | 1. 보건행정 및 국민건강보험 |
| | | | 2. 보건사업 |

| 시험종별 | 분야 | 영역 | 세부항목 |
|---|---|---|---|
| | 2. 해부생리학 | 1. 해부학 | 1. 뼈대 및 근육의 명칭 |
| | | | 2. 순환기의 형태적 특징 |
| | | | 3. 소화기의 형태적 특징 |
| | | | 4. 호흡기의 형태적 특징 |
| | | | 5. 신경의 분류와 특징 |
| | | 2. 생리학 | 1. 일반 및 근육 생리 |
| | | | 2. 순환 생리 |
| | | | 3. 호흡 생리 |
| | | | 4. 소화 생리 |
| | | | 5. 내분비 생리 |
| | 3. 조직병리학 | 1. 병리학 | 1. 세포손상 및 세포적응 |
| | | | 2. 순환장애 |
| | | | 3. 염증과 수복 |
| | | | 4. 종양(TUMOR) |
| | | | 5. 유전질환 |
| | | 2. 조직학 | 1. 현미경 및 각 기관의 현미경적 구조 |
| | | | 2. 상피조직 |
| | | | 3. 결합조직 |
| | | | 4. 신경조직 |
| | | | 5. 근육조직 |
| | | 3. 조직검사학 | 1. 조직검체 및 육안검사 |
| | | | 2. 조직의 고정 |
| | | | 3. 일반조직 및 뼈조직 절편제작 |
| | | | 4. 염색이론 및 헤마톡실린-에오신 |
| | | | 5. 결합조직 및 핵산염색 |
| | | | 6. 탄수화물염색 |
| | | | 7. 지질염색, 유전분염색, 생체색소염색, 병원미생물염색 |
| | | | 8. 면역 및 효소조직화학 |
| | | | 9. 분자병리 및 전자현미경 검사 |

| 시험종별 | 분야 | 영역 | 세부항목 |
|---|---|---|---|
| | | 4. 진단세포학 | 1. 진단세포학의 정의 |
| | | | 2. 세포검체 처리, 세포도말 고정 및 염색 |
| | | | 3. 여성생식기 조직 및 세포학 |
| | | | 4. 내분비 세포평가 |
| | | | 5. 염증성 및 양성증식성 변화 |
| | | | 6. 자궁의 상피성 병변 |
| | | | 7. 세포검사 결과보고 |
| | 4. 임상생리학 | 1. 심전도 검사 | 1. 심전도검사의 기초 |
| | | | 2. 심전도 파형 |
| | | | 3. 표준 12유도법 |
| | | | 4. 심전도 소견의 특징 |
| | | | 5. 심전도 기록 |
| | | | 6. 심전도 측정법 |
| | | | 7. 24시간 심전도 |
| | | | 8. 부하 심전도 |
| | | 2. 뇌파검사 | 1. 뇌파검사의 기초 |
| | | | 2. 뇌파 소견의 특징 |
| | | | 3. 뇌파 기록 |
| | | | 4. 뇌파의 부활법 |
| | | | 5. 인공산물의 원인 및 제거법 |
| | | | 6. 수면다원검사 |
| | | 3. 근전도 검사 | 1. 신경전도 검사의 기초 |
| | | | 2. 신경전도 검사법 |
| | | | 3. 유발전위검사 |
| | | 4. 호흡계 및 기타 생리학적 검사 | 1. 폐기능검사 기초 |
| | | | 2. 폐활량 및 최대환기량 검사법 |
| | | | 3. 노력성폐활량 검사법(FVC) |
| | | | 4. 폐활량검사의 평가 |
| | | | 5. 기타 폐기능 검사 |
| | | | 6. 기타 생리검사 |

| 시험종별 | 분야 | 영역 | 세부항목 |
|---|---|---|---|
| | | 5. 초음파검사<br>(심장, 뇌혈류) | 1. 초음파검사의 기초 |
| | | | 2. B모드(2-D) 심초음파 |
| | | | 3. M모드 심초음파 |
| | | | 4. 도플러 심초음파 |
| | | | 5. 뇌혈류검사의 기초 |
| | | | 6. 뇌혈류 초음파 검사창 |
| 3. 임상검사 이론 II | I. 임상화학 | 1. 기초 임상화학 | 1. 검체의 보존 및 안정성 |
| | | | 2. 용량기구, 초자기구, 일반기구 |
| | | | 3. SI 단위, 단위 전환, 용액의 제조 |
| | | | 4. 질관리와 통제 |
| | | 2. 검사기기학 | 1. 자동화학분석기 |
| | | | 2. 광학분석기 |
| | | | 3. 분리분석법 |
| | | | 4. 이온선택전극법 |
| | | 3. 분석 임상화학 | 1. 단백질과 전기영동 |
| | | | 2. 비단백질소 화합물 검사 |
| | | | 3. 지질검사 |
| | | | 4. 전해질, 산-염기평형 및 혈액가스검사 |
| | | | 5. 효소검사 |
| | | | 6. 탄수화물검사 |
| | | | 7. 부신호르몬검사 및 비타민 |
| | | | 8. 약물검사 |
| | | | 9. 기능 및 표지자검사 |
| | | 4. 요검사 및 체액검사 | 1. 요검사 개요 |
| | | | 2. 요의 물리 · 화학적 검사 |
| | | | 3. 현미경적 검사 |
| | | | 4. 대사질환 요검사 |
| | | | 5. 체액의학적 검사 |
| | | 5. 핵의학검사 | 1. 핵의학 기초이론 및 안전관리 |
| | | | 2. 핵의학적 검사 |

| 시험종별 | 분야 | 영역 | 세부항목 |
|---|---|---|---|
| | 2. 혈액학 | 1. 기초혈액학 | 1. 조혈, 적혈구계 성숙과 대사 |
| | | | 2. 혈색소, 철 |
| | | | 3. 비정상 적혈구 |
| | | | 4. 백혈구 성숙 |
| | | | 5. 비정상 백혈구 |
| | | | 6. 거대핵세포 및 혈소판 |
| | | | 7. 지혈기전, 응고활성과 억제인자 |
| | | | 8. 적혈구계 질환 |
| | | | 9. 백혈구계 질환 |
| | | | 10. 출혈성 질환 |
| | | 2. 혈액학적 검사 | 1. 채혈과 항응고제, 일반혈액학, 체액세포 검사 |
| | | | 2. 자동 혈액학 검사 |
| | | | 3. 특수 혈액학 검사 |
| | | | 4. 골수검사 및 특수 염색 |
| | | | 5. 혈소판 기능 및 응고계 검사 |
| | | | 6. 유세포분석(흐름세포측정), 염색체, 분자생물학적 검사 |
| | | 3. 수혈학 | 1. 혈액형 항원과 항체 |
| | | | 2. ABO 혈액형 |
| | | | 3. Rh 혈액형 및 기타 혈액형 |
| | | | 4. 헌혈 |
| | | | 5. 혈액 성분제제 |
| | | | 6. 수혈 요법 및 수혈부작용 |
| | | | 7. 항글로불린검사 |
| | | | 8. 수혈 전 검사(항체선별, 동정, 교차시험) |
| | | | 9. 흡착, 해리, 타액, HLA, 혈액형 분자 유전학적 검사 |
| | | | 10. 질관리 |
| | 3. 임상미생물학 | 1. 임상세균학 | 1. 멸균과 항균요법 |
| | | | 2. 감염예방 |
| | | | 3. 산소성(호기성) 또는 조건무산소성 (통성혐기성) 그람양성알균 |

| 시험종별 | 분야 | 영역 | 세부항목 |
|---|---|---|---|
| | | | 4. 산소성(호기성) 그람음성 알균 |
| | | | 5. 산소성(호기성) 그람양성막대균 |
| | | | 6. 장내세균과 |
| | | | 7. 비브리오과 |
| | | | 8. 포도당비발효 그람음성 막대균 |
| | | | 9. 영양요구구성이 까다로운 그람음성 막대균 |
| | | | 10. 무산소성(혐기성) 세균 |
| | | | 11. 미세산소성 세균 |
| | | | 12. 세균분자 진단 |
| | | 2. 진균학 | 1. 효모 |
| | | | 2. 표재성 및 피부진균증 |
| | | | 3. 피하진균증 |
| | | 3. 바이러스학 | 1. 바이러스 구조 및 분류 |
| | | | 2. DNA 바이러스 |
| | | | 3. RNA 바이러스 |
| | | 4. 기생충학 | 1. 원충류 |
| | | | 2. 연충류(Helminth) |
| | | 5. 임상면역학 | 1. 면역기전 및 분류 |
| | | | 2. 항원,항체 및 보체 |
| | | | 3. B림프구와 T림프구 |
| | | | 4. 이식면역 |
| | | | 5. 과민반응, 관용 및 자가면역 |
| | | | 6. 종양면역 및 면역결핍 |
| | | 6. 임상혈청학 | 1. 혈청검사실내 검체처리 및 안전 |
| | | | 2. 항원항체반응 |
| | | | 3. 매독진단 |
| | | | 4. 바이러스성 간염 진단 |
| | | | 5. 후천성 면역결핍증후군 |
| | | | 6. 자기면역질환 |

| 시험종별 | 분야 | 영역 | 세부항목 |
|---|---|---|---|
| 4. 실기시험 | 1. 조직·세포병리<br>검사 | 1. 조직병리검사 | 1. 육안조직검사 및 고정 |
| | | | 2. 동결절편제작 및 탈회방법(감염관리 포함) |
| | | | 3. 조직절편제작 |
| | | | 4. 일반염색방법 및 조직(염증, 괴사포함) |
| | | | 5. 특수조직화학염색방법<br>   (효소조직화학염색방법 포함) |
| | | | 6. 면역조직화학염색방법 |
| | | | 7. 분자병리검사방법<br>   (전자현미경검사방법 포함) |
| | | 2. 세포병리검사 | 1. 상피세포 및 여성생식기 구조 |
| | | | 2. 세포도말표본 제작방법 |
| | | | 3. 세포염색표본 제작방법 |
| | | | 4. 호르몬평가 및 염색체이상 |
| | | | 5. 부인과 염증성 및 양성승식성 병변 |
| | | | 6. 부인과 상피성 병법 |
| | | | 7. Bethesda체계 및 진단 질관리 |
| | 2. 임상화학검사 | 1. 요화학검사 | 1. 콩팥의 구조와 기능 및 물리적 검사 |
| | | | 2. 요의 화학적 검사 |
| | | | 3. 요검사의 현미경적 검사 |
| | | 2. 임상화학검사 | 1. 검체 취급과 시약의 조제 및 관리 |
| | | | 2. 용량 기구 및 일반 기기 관리 |
| | | | 3. 단백 및 비단백질소 화합물 검사<br>   (비타민검사 포함) |
| | | | 4. 탄수화물, 지질, 효소 검사 |
| | | | 5. 약물 농도 검사 |
| | | | 6. 전해질, 산 염기 평형과 혈액가스 검사 |
| | | | 7. 전기영동 검사 |
| | | | 8. 기능, 표지자 검사 |
| | | | 9. 분석기기 |
| | | | 10. 체액검사 |
| | | | 11. 질 관리 |

| 시험종별 | 분야 | 영역 | 세부항목 |
|---|---|---|---|
| | | 3. 핵의학적 검사 | 1. 핵의학 체외검사 |
| | | | 2. 방사선 안전 및 폐기물 관리 |
| | 3. 혈액학검사 | 1. 혈액학 검사 | 1. 채혈 및 검체처리 |
| | | | 2. 일반 혈액학검사 및 체액검사 |
| | | | 3. 특수 혈액학검사 |
| | | | 4. 골수검사 |
| | | | 5. 염색체검사 |
| | | | 6. 혈액응고 검사 |
| | | | 7. 질관리 |
| | | 2. 혈액은행(수혈) 검사 | 1. 혈액형 검사, 불일치 해결 |
| | | | 2. 수혈 전 검사 |
| | | | 3. 헌혈, 혈액성분제제관리, 혈액성분채집술 |
| | | | 4. 수혈 후 검사, 질관리(혈액제제, 장비, 시약) |
| | 4. 임상미생물검사 | 1. 임상세균검사 | 1. 검체별 염색 검사및 배양 방법 |
| | | | 2. 동정에 이용되는 생물화학적 성상 |
| | | | 3. 병원성 세균의 분리 동정 |
| | | | 4. 항균제 감수성검사 |
| | | | 5. 질관리(검사, 항균제, 장비), 멸균, 감염 관리 |
| | | 2. 진균검사 | 1. 검체의 직접검사 및 효모진단 |
| | | | 2. 진균배양 및 형태학적 진단 |
| | | 3. 바이러스검사 | 1. 바이러스 구조, 배양, 진단 |
| | | | 2. 바이러스 분자진단검사 |
| | | 4. 기생충검사 | 1. 기생충 검사법 및 감별진단 (원충류, 선충류, 조충류, 흡충류) |
| | | | 2. 혈액기생충 감별진단 |
| | | 5. 면역혈청 검사 | 1. 기초실험(희석, 검체처리, 감염관리) |
| | | | 2. immunoassay 방법론 |
| | | | 3. 발열성 질환, 간염,HIV 질환및 알레르기 검사 |
| | | | 4. 이식면역, 자가면역, 분자면역 및 종양 면역검사 |

# Contents

## 임상병리사 실전모의고사(실기편)

Medical Laboratory Technologist

실전모의고사
(실기편)
1회

# 조직 · 세포병리검사

## 01

다음은 파라핀 조직표본을 제작 중인 사진이다. 일반 조직염색표본 제작 과정의 순서로 옳은 것은 무엇인가?

① 고정 → 탈수 → 절취 → 파라핀 침투 → 포매 → 투명 → 박절 → 염색 → 봉입
② 고정 → 투명 → 파라핀 침투 → 절취 → 탈수 → 포매 → 염색 → 봉입 → 박절
③ 고정 → 절취 → 탈수 → 투명 → 파라핀 침투 → 포매 → 박절 → 염색 → 봉입
④ 탈수 → 투명 → 고정 → 절취 → 파라핀 침투 → 박절 → 포매 → 염색 → 봉입
⑤ 투명 → 파라핀 침투 → 고정 → 절취 → 탈수 → 포매 → 박절 → 염색 → 봉입

## 02

다음은 전자현미경 사진으로 전자현미경 검사의 고정에 주로 사용되는 고정액은 무엇인가?

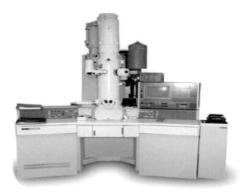

① 포르말린
② 글루탈알데히드
③ 피크린산
④ 중크롬산칼륨
⑤ 염화제2수은

## 03

다음 사진은 파라핀 침투 과정에서 파라핀 융해기의 모습을 나타낸 것으로 융해기의 온도에 관한
설명으로 옳은 것은 무엇인가?

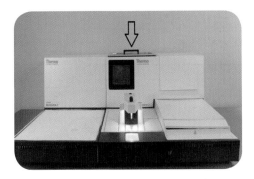

① 파라핀 융점 온도보다 2~3°C 높은 온도를 유지한다.
② 파라핀 융점 온도보다 5~10°C 높은 온도를 유지한다.
③ 파라핀 융점 온도와 동일하게 유지한다.
④ 파라핀 융점 온도보다 2~3°C 낮은 온도를 유지한다.
⑤ 파라핀 융점 온도보다 5~10°C 낮은 온도를 유지한다.

## 04

다음 박절기에 관한 설명 중 옳은 것은 무엇인가?

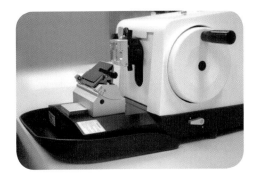

① 연속절편이 어렵다.
② 블록재물대가 고정되어 있고 칼 고정대가 왕복운동 한다.
③ 활주식 박절기이다.
④ 크고 딱딱한 조직의 박절에 용이하다.
⑤ 대량의 검체를 신속하게 처리할 수 있다.

## 05

다음 블록과 관련된 설명으로 옳지 <u>않은</u> 것은 무엇인가?

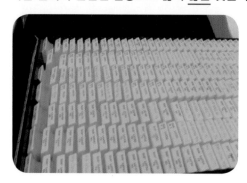

① 연속절편이 가능하다.

② 보관이용이 하다.

③ 지질 성분의 검출이 가능하다.

④ 대형절편이 불가하다.

⑤ 표본 제작시간이 비교적 짧다.

## 06

다음 염색은 병원성 진균의 신속한 검출을 위해 사용하는 방법으로 염색법은 무엇인가?

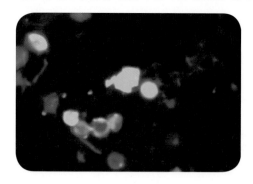

① GMS stain

② Gridley stain

③ Warthin—starry stain

④ Calcofluor white stain

⑤ Auramine—rhodamie stain

## 07

다음은 횡문근을 염색하는 말로리 PTAH 염색법으로 이상적인 고정액은 무엇인가?

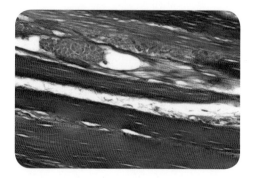

① Ortho 고정액

② Zenker 고정액

③ Bouin 고정액

④ Carnoy 고정액

⑤ Helly 고정액

## 08

다음 사진의 장기는 무엇인가?

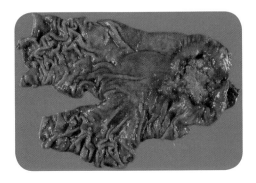

① 위

② 큰창자

③ 간

④ 갑상샘

⑤ 막창자꼬리

## 09

다음 사진은 어떤 조직을 나타낸 것인가?

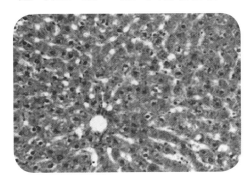

① 위

② 간

③ 작은창자

④ 폐

⑤ 콩팥

## 10

다음 사진은 염색체 검사 결과이다. 확인할 수 있는 질환은 무엇인가?

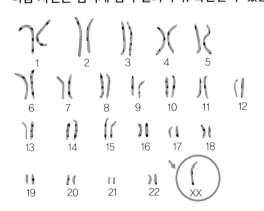

① 다운 증후군

② 터너 증후군

③ 에드워드 증후군

④ 클라인펠터 증후군

⑤ 파타우 증후군

## 11

다음에서 보이는 상피조직세포는 무엇인가?

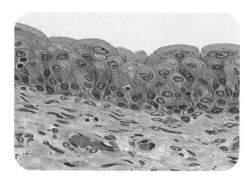

① 단층편평상피세포

② 단층원주상피세포

③ 이행상피세포

④ 중층편평상피세포

⑤ 중층입방상피세포

## 12

다음 사진은 탈락세포학(exfoliative cytology)을 이용한 검체 채취 중으로 이와 같은 방식으로 검체를 채취하는 부위는 어디인가?

① 간

② 갑상샘

③ 자궁속막

④ 전립샘

⑤ 콩팥

## 13

다음 사진의 기계는 무엇과 관련 있는가?

① 세포군집절편법

② 혈장분리법

③ 세포원심침전법

④ 도은법

⑤ 혈장-트롬빈법

## 14

다음 사진의 용액은 Papanicolaou stain시에 사용되는 염색액이다. 무엇을 염색할 때 사용되는가?

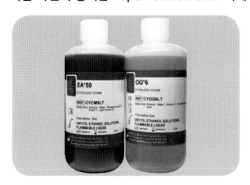

① 핵

② 핵소체

③ 세포질

④ 지방

⑤ 탄수화물

## 15

다음 사진의 세포는 무엇인가?

① 표층세포

② 중간세포

③ 기저곁세포

④ 보트형세포

⑤ 간질세포

## 16

위 사진의 세포는 어느 시기에 주로 관찰 가능한가?

① 월경기

② 폐경기

③ 배란기

④ 임신기

⑤ 분비기

# 임상화학검사

## 17

다음 사진의 기구는 무엇인가?

① Centrifuge
② pH meter
③ Barometer
④ Dispenser
⑤ HPLC

## 18

다음 사진은 무엇인가?

① 진공채혈관
② 가스분석관
③ 혈액추출관
④ 원심분리관
⑤ 혈청분리관

## 19

다음 사진의 pipette은 어떤 용도로 사용되는가?

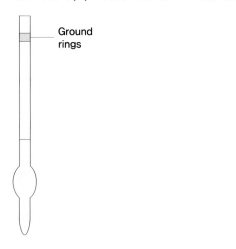

Ground
rings

① 대량을 취할 때 사용한다.
② 소량을 취할 때 사용한다.
③ 시약을 취할 때 사용한다.
④ 정확한 양을 취할 때 사용한다.
⑤ 점성이 있는 물질을 취할 때 사용한다.

## 20

다음 그림은 어떤 기계를 나타내는가?

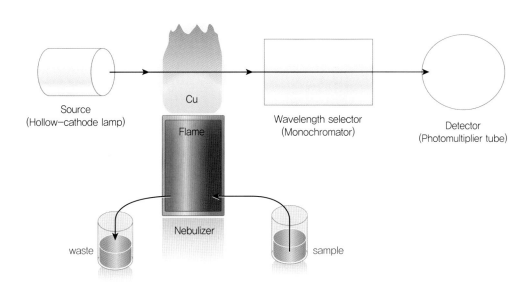

Source
(Hollow-cathode lamp)

Cu

Flame

Nebulizer

waste

sample

Wavelength selector
(Monochromator)

Detector
(Photomultiplier tube)

① 분광광도계
② 형광분석계
③ 염광광도계
④ 원자흡광광도계
⑤ 자동분석계

## 21

다음 보기에서 신뢰도가 가장 높은 그래프는 무엇인가?

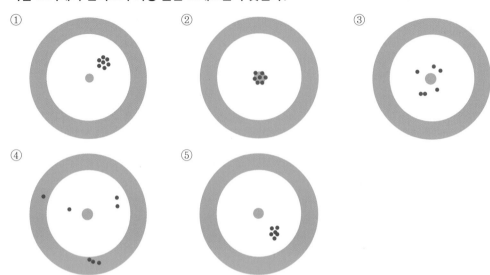

## 22

다음 정도관리 그래프에서 동그라미 친 부분은 무엇인가?

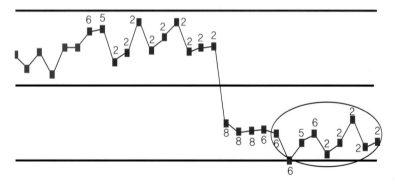

① Outlier

② Unrest

③ Trend

④ Shift

⑤ Action limit

## 23

다음 사진의 저울은 무엇인가?

① 직시저울
② 상명저울
③ 화학저울
④ 전자분석저울
⑤ Trip balance

## 24

다음 사진의 단백질 전기영동상은 어떤 질병에 걸린 환자의 분획인가?

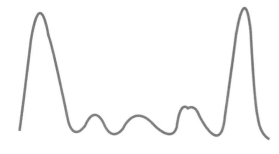

① 빈혈
② 심근경색
③ 간섬유증
④ 위암
⑤ 다발성 골수종

## 25

다음 사진은 단백질의 전기영동상으로 동그랗게 표시된 분획은 무엇인가?

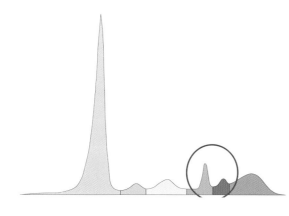

① Albumin
② α 1- globulin
③ β - globulin
④ γ - globulin
⑤ x - globulin

## 26

17-OHCS가 황산 하에서 Phenylhydrazine과 반응하여 다음과 같은 색을 나타내는 검사법은 무엇인가?

① Porter—Silber 반응

② Zimmermann 반응

③ Ehrlich—aldehyde 반응

④ Jaffe 반응

⑤ Biuret 반응

## 27

다음은 Berthelot 반응법의 종말색으로 어떠한 물질의 측정에 사용되는 반응법인가?

① BUN

② Creatinine

③ Protein

④ Phosphorus

⑤ Glucose

## 28

다음은 Folin-Wu 제단백 원리로 빈칸에 들어갈 내용의 알맞은 조합은 무엇인가?

| | $+ H_2SO_4 -$ | | $+ H_2WO_4$ |
|---|---|---|---|

① $Na_2SO_4 - Na_2WO_4$

② $ZnSO_4 - Zn(OH)_2$

③ $Na_2WO_4 - Na_2SO_4$

④ $Ba(OH) - H_2WO_4$

⑤ $H_2SO_4 - ZnSO_4$

## 29
다음은 요침사에서 관찰 가능한 원주로 무엇인가?

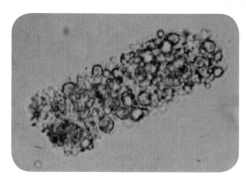

① 초자 원주
② 백혈구 원주
③ 지방 원주
④ 상피세포 원주
⑤ 납양 원주

## 30
다음은 요침사 검경 중인 사진으로 요침사 시 가장 우수한 요 방부제는 무엇인가?

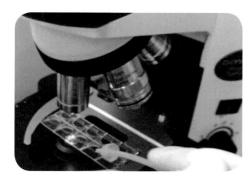

① Formalin
② Toluene
③ Boric acid
④ Chloroform
⑤ Thymol

## 31
다음은 요침사에서 관찰 가능한 것으로 정상뇨에서는 발견할 수 <u>없는</u> 이것은 무엇인가?

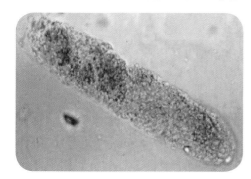

① Hyaline cast
② RBC cast
③ Granular cast
④ Waxy cast
⑤ Fatty cast

## 32

다음 사진의 기계는 무엇인가?

① 포켓선량계
② 굴절계
③ pH meter
④ 방사능 측량계
⑤ 전신오염측정기

# 혈액학검사

## 33

다음은 전혈을 원심분리한 후의 모습으로 화살표가 가리키는 부분은 무엇인가?

① RBC

② Hemoglobin

③ Buffy coat

④ Plasma

⑤ Serum

## 34

다음 사진의 세포는 무엇인가?

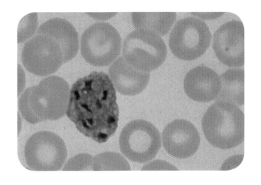

① 알코올성 간질환

② 요독증

③ 열대열 말라리아 원충

④ 삼일열 말라리아 원충

⑤ 사일열 말라리아 원충

## 35

다음 사진의 세포는 무엇인가?

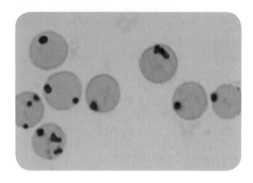

① Pappenheimer bodies

② Howell-Jolly bodies

③ Heinz bodies

④ Basophilic-stippling

⑤ Cabot ring

## 36

다음 사진은 무엇을 나타내는가?

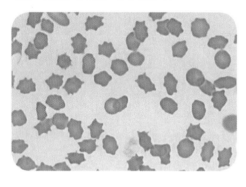

① Anisocytosis

② Poikilocytosis

③ Macrocyte

④ Microcyte

⑤ Polychromatophilia

## 37

다음 그래프와 관련된 검사는 무엇인가?

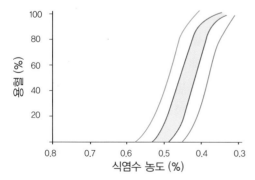

① 겸상적혈구 검사

② 발작야간 혈색소뇨증 검사

③ 적혈구 침강검사

④ 혈액응고검사

⑤ 적혈구 삼투압 취약성 검사

## 38

위의 그래프에서 파란색에 해당하는 질환은 무엇인가?

① 유전성 구형 적혈구증

② 겸상 적혈구성 빈혈

③ 지중해성빈혈

④ 백혈병

⑤ 간 질환

## 39

다음 중 연속채혈 시 사용하는 채혈관의 순서로 옳은 것은 무엇인가?

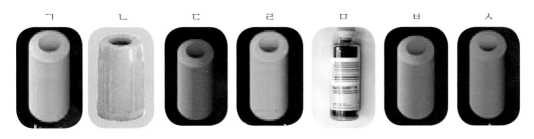

① ㄱ → ㄴ → ㄷ → ㄹ → ㅁ → ㅂ → ㅅ

② ㄱ → ㄷ → ㄴ → ㄹ → ㅂ → ㅁ → ㅅ

③ ㅁ → ㄱ → ㄴ → ㄷ → ㅂ → ㅅ → ㄹ

④ ㅁ → ㄷ → ㄱ → ㄴ → ㄹ → ㅂ → ㅅ

⑤ ㅁ → ㄱ → ㄷ → ㄴ → ㄹ → ㅅ → ㅂ

## 40

다음 사진은 정맥 채혈을 시행하는 모습으로 채혈시 필요한 도구에 해당하지 <u>않는</u> 것은 무엇인가?

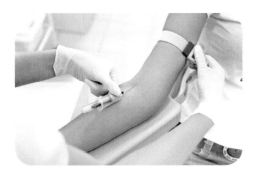

① 알코올솜

② 지혈대

③ Syringe 또는 진공채혈관

④ Lancet

⑤ 지혈용 밴드

## 41

다음 중 혈액응고검사에 사용하는 혈액튜브는 무엇인가?

① ② ③ ④ ⑤

## 42

다음은 혈액도말표본으로 도말이 가장 잘된 표본은 무엇인가?

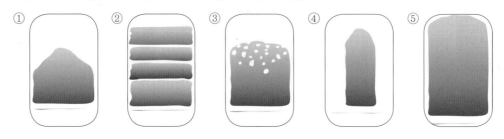

① ② ③ ④ ⑤

## 43

다음은 ABO 혈액형의 A형 항원구조를 나타낸 것으로 box 안에 들어갈 단어는 무엇인가?

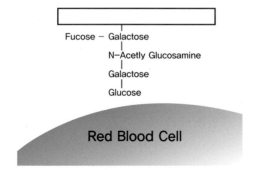

Fucose – Galactose
 |
 N-Acetly Glucosamine
 |
 Galactose
 |
 Glucose

**Red Blood Cell**

① D−Galactose

② N−Acetyl−D−Galactosamine

③ L−Fucose

④ Glucose

⑤ Fucose

## 44

다음 사진의 혈액을 보관할 때 알맞은 보존 온도는 얼마인가?

① $-20°C$ 이하

② $-18°C$ 이하

③ $1~6°C$

④ $20~24°C$

⑤ $36°C$ 이상

## 45

다음 사진의 혈액 성분제제는 제조 후 유효기간이 어떻게 되는가?

① 12시간

② 24시간

③ 120시간

④ 3일

⑤ 1년

## 46

위 사진의 혈액 성분제제는 몇 도에서 보존해야 하는가?

① $-18°C$ 이하

② $-4°C$ 이하

③ $1~6°C$

④ $20~24°C$

⑤ $36°C$ 이상

## 47

다음 사진의 혈액제제는 신선동결혈장으로 보존온도는 몇 도 인가?

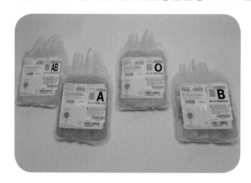

① −18°C 이하
② −4°C 이하
③ 1~6°C
④ 20~24°C
⑤ 36°C 이상

## 48

다음 사진의 헌혈용 채혈백은 어떤 혈액제제의 제조에 적합한가?

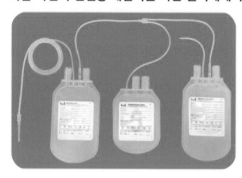

① 혈장제제
② 혈소판제제
③ 백혈구제제
④ 동결침전제제
⑤ 성분채집혈소판제제

## 49

다음 사진은 세균의 편모이다. 무엇과 관련 있는가?

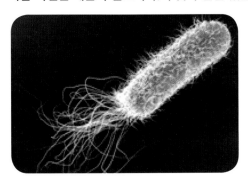

① 항원성
② 저항성
③ 병독성
④ 운동성
⑤ 탐식능

## 50

다음 사진의 검사는 Staphylococcus aureus에서 양성을 나타내는 것으로 어떤 검사법인가?

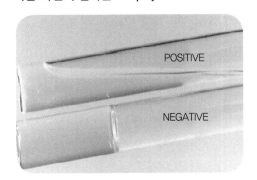

① Protein A test
② Gelatinase test
③ Niacin test
④ Lepromin test
⑤ Catalase test

## 51

다음은 DNase agar로 DNA 분해효소 생성능을 판정하기 위해 사용되는 시약은 무엇인가?

① NaOH
② NaCl
③ H₂S
④ HCl
⑤ Phenol red

## 52

다음 사진은 결핵균을 배양한 배지로 잡균제거에 사용되는 성분은 무엇인가?

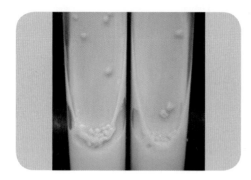

① Asparagine
② Malachite green
③ Glycerin
④ Cyanogen bromide
⑤ 계란

## 53

다음 사진은 어떤 검사를 나타내는가?

① CAMP test
② Catalase test
③ Insulin fermentation test
④ Bacitracin test
⑤ Optochin test

## 54

다음은 Niacin test이다. 양성을 나타내는 세균은 무엇인가?

① Mycobacterium tuberculosis

② Mycobacterium bovis

③ Listeria monocytogenes

④ Corynebacteriumdiphtheria

⑤ Neisseriameningitides

## 55

다음은 MacConkey agar에서 배양된 세균으로 어떤 균을 의심할 수 있는가?

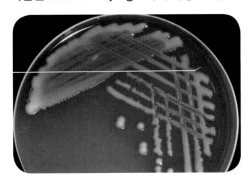

① Enterobacter aerogenes

② Salmonella typhi

③ Klebsiella pneumoniae

④ Shigella sonnei

⑤ Proteus mirabilis

## 56

다음 TSI agar 성상 중 Shigella flexneri에 대한 tube는 무엇인가?

①   ②   ③   ④   ⑤

## 57

다음 사진은 어떤 세균이 각종 당을 발효하여 산과 가스를 생성하는 우유단백응고를 나타낸 것으로 관련된 것은 무엇인가?

① Clostridium difficile

② Clostridium botulinum

③ Clostridium tetani

④ Clostridium perfringens

⑤ Bacteroides fragilis

## 58

다음 사진에서 보이는 테스트기와 관련 있는 세균은 무엇인가?

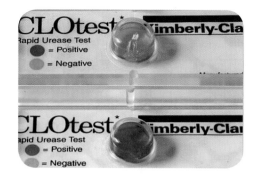

① Helicobacter pylori

② Treponema pallidum

③ Borrelia burgdoferi

④ Leptospira interrogans

⑤ Haemophilus influenza

## 59

다음 사진에서 보이는 진균은 접합균류의 일종으로 무엇인가?

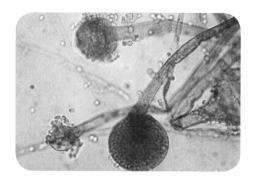

① Rhizopus

② Penicillium notatum

③ Blastomyces dermatitidis

④ Absidia

⑤ Mucor

## 60

다음은 진균 배양 시 가장 많이 사용하는 배지이다. 무엇인가?

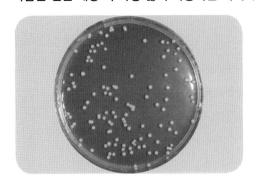

① MacConkey agar

② Phenylethyl alcohol blood agar

③ Sabouraud dextrose agar

④ Igasan agar

⑤ Nalidixic acid centrimide agar

## 61

다음 사진은 어떤 기생충의 충란인가?

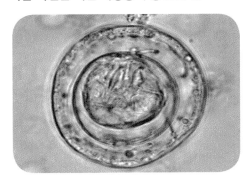

① 유구조충란

② 무구조충란

③ 왜소조충란

④ 쥐조충란

⑤ 광절열두조충란

## 62

다음 사진은 어떤 기생충의 충란인가?

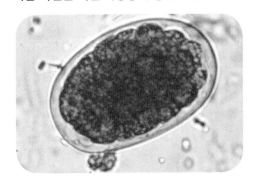

① 회충란

② 요충란

③ 두비니구충란

④ 동양모양선충란

⑤ 편충란

## 63

다음 사진은 말라리아 종 중에서 어떤 종의 사진인가?

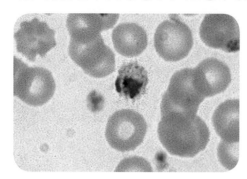

① Plasmodium vivax

② Plasmodium malariae

③ Plasmodium falciparum,

④ Plasmodium ovale

⑤ Plasmodium coli

## 64

다음은 VDRL 검사 결과로 Non reactive에 해당하는 결과는 무엇인가?

① 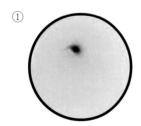　　② 　　③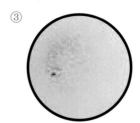

④ 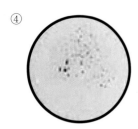　　⑤ 보기에 없음

## 65
다음 사진의 검사로 어떤 질병을 확인할 수 있는가?

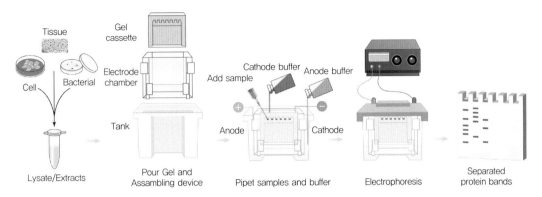

① 류마티스 관절염

② 매독

③ 일본뇌염

④ B형 간염

⑤ AIDS

실전모의고사
(실기편)
2회

## 01

다음 사진의 기계에서 사용되는 포매제는 무엇인가?

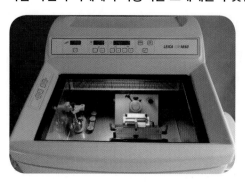

① Paraffin 포매제

② Celloidin 포매제

③ Carbo wax 포매제

④ MMA (methyl methacrylate) 포매제

⑤ OCT compound 포매제

## 02

다음 사진의 고정액은 Picric acid 영향으로 노란색을 띠며 Masson's trichrome 염색 시 조직 고정에 우수한 용액이다. 무엇인가?

① 10% Formalin 고정액

② Helly 고정액

③ Carnoy 고정액

④ Bouin 고정액

⑤ Acetic acid 고정액

## 03

다음 사진의 기계는 무엇인가?

① 자동포매기
② 자동조직침투기
③ 동결절편기
④ 초미세박절기
⑤ 탈수기

## 04

다음 사진의 박절기는 무엇인가?

① 활주형 박절기
② 회전형 박절기
③ 초미세 박절기
④ 동결 박절기
⑤ 전기냉동 박절기

## 05

이 사진의 기계와 관련된 설명으로 옳지 <u>않은</u> 것은 무엇인가?

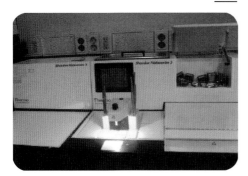

① 조직의 박절 과정이 끝난 후에 진행되는
　과정이다.
② 가온판의 온도는 60℃로 유지시킨다.
③ 조직포매 장치는 파라핀 분주기, 가온실,
　냉각판, 핀셋가온기 등으로 구성되어있다.
④ 파라핀은 경질파라핀과 연질파라핀이
　있는데 보통 경질파라핀이 주로 사용된다.
⑤ 포매시 병소가 하향하도록 처리해야한다.

## 06

다음은 Feulgen reaction 사진으로 적자색으로 염색된 부위는 무엇인가?

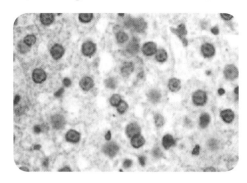

① DNA

② RNA

③ Protein

④ 수초

⑤ 횡문근

## 07

다음의 염색법은 무엇인가?

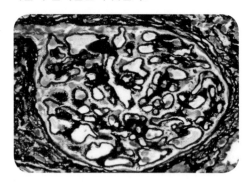

① AZAN stain

② Masson trichrome stain

③ H&E stain

④ PAS stain

⑤ PAMS stain

## 08

다음 사진의 장기는 무엇인가?

① 유방

② 콩팥

③ 심장

④ 폐

⑤ 피부조직

## 09

다음 사진에서 공포 내에 축적된 물질은 무엇을 나타내는가?

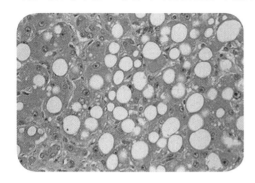

① 탄수화물

② 단백질

③ 지방

④ 점액

⑤ 멜라닌

## 10

위의 사진의 세포는 어떤 장기를 나타내는가?

① 식도

② 간

③ 위

④ 폐

⑤ 콩팥

## 11

다음 사진은 어떤 조직의 H&E 염색 결과이다. 어떠한 조직인가?

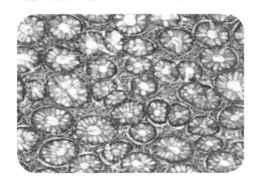

① 심장

② 난소

③ 콩팥

④ 큰창자

⑤ 간

## 12

다음 검사법은 무엇인가?

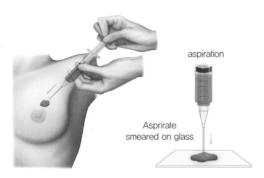

① 날인도말세포검사

② 탈락세포검사

③ 액상세포검사

④ 세침천자흡인세포검사

⑤ 진단세포검사

## 13

위의 그림과 동일한 검사법을 사용하는 부위는 어디인가?

① 피부

② 기관

③ 전립샘

④ 질

⑤ 뇌척수액

## 14

다음 사진에서 보이는 세포는 무엇인가?

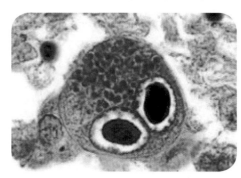

① HPV

② HSV

③ HMV

④ CMV

⑤ Chlamydia

# 15

다음 사진의 세포는 이형성증 단계 중 어떤 단계의 상태를 나타낸 것인가?

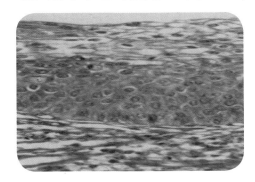

① Mild dysplasia

② Moderate dysplasia

③ Severe dysplasia

④ Carcinoma in situ

⑤ CIN3

# 16

다음 사진에서 확인 할 수 있는 병원균에 감염되었을 때 나타나는 세포학적 특징은 무엇인가?

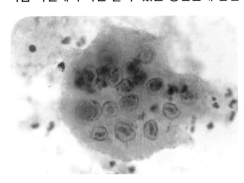

① 경계가 불분명한 핵 가장자리

② 세포질내 봉입체

③ 호염기성

④ 단핵세포

⑤ 젖빛유리 양상

## 17

다음 사진의 기구는 무엇인가?

① Dispenser

② Desiccator

③ Flask

④ Centrifuge

⑤ Pipette

## 18

다음 사진의 혈액튜브에 담긴 항응고제는 무엇인가?

① EDTA

② Heparin

③ Sodium citrate

④ NaF

⑤ Blood culture

## 19
다음 사진의 pipette은 무엇인가?

① Mohr pipette

② Transfer pipette

③ Auto pipette

④ Ostwald pipette

⑤ Pasteur pipette

## 20
다음 사진의 초자기구 명칭은 무엇인가?

① Separatory funnel

② Kjeldahl flask

③ Auto burette

④ Mohr flask

⑤ Ostwald flask

## 21
위 사진의 기구는 어떤 과정에서 사용되는가?

① 추출과정

② 원심분리과정

③ 혈청분리과정

④ 여과과정

⑤ 제단백과정

## 22

다음은 형광광도계의 구조도로 이 기계의 광원은 무엇인가?

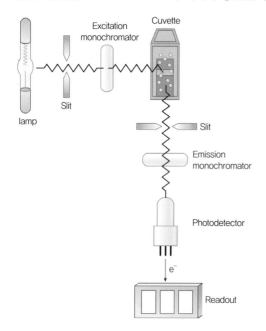

① Hollow cathode lamp

② Tungsten lamp

③ Xenon lamp

④ Globar lamp

⑤ Nernst Glower lamp

## 23

다음 보기에서 정확도는 높지만 정밀도는 떨어지는 그래프는 어느 것인가?

① 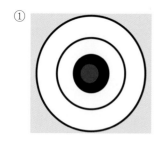   ② 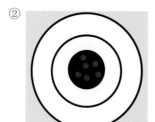   ③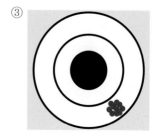

④ 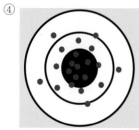   ⑤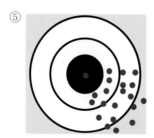

## 24

다음 정도관리 그래프에서 동그라미 친 부분은 무엇인가?

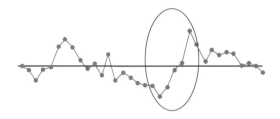

① Upward Shift

② Downward Shift

③ Upward Trend

④ Downward Trend

⑤ Action limit

## 25

다음 사진의 저울은 무엇인가?

① 상명저울

② Trip balance

③ Torsion balance

④ Chemical balance

⑤ Electronic analytical balance

## 26

다음 사진의 전기영동상에서 $\gamma$- globulin에 해당하는 곳은 어디인가?

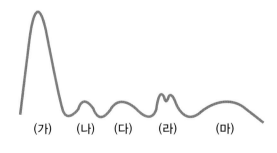

(가)  (나)  (다)  (라)  (마)

① 가

② 나

③ 다

④ 라

⑤ 마

## 27

다음 사진의 전기영동상에서 사용된 염색액은 무엇인가?

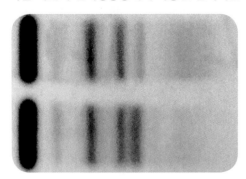

① Oil red O

② Sudan Ⅲ

③ Nile blue

④ Fat red 7B

⑤ Amido black 10B

## 28

다음은 알부민 측정법의 종말색으로 어떠한 색소를 사용하였는가?

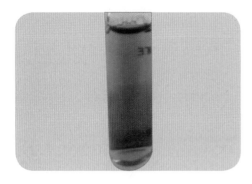

① HABA 색소

② BCG 색소

③ Berthelot 시약

④ Nessler 시약

⑤ Diazo 시약

## 29

다음은 Diazo 반응의 결과로 이 반응은 어떠한 물질을 측정하는데 사용되는가?

① BUN

② Chloride

③ Bilirubin

④ Phosphorus

⑤ Protein

# 30

다음은 기질과 반응속도의 관계에 대한 그림으로 A, B, C, D 칸을 바르게 채운것은 무엇인가?

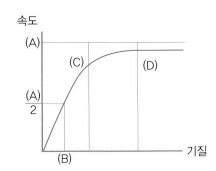

|   | A | B | C | D |
|---|---|---|---|---|
| ① | VMAX | Km | 0차반응 | 1차반응 |
| ② | VMAX | Km | 1차반응 | 0차반응 |
| ③ | Km | VMAX | 1차반응 | 0차반응 |
| ④ | Km | VMAX | 0차반응 | 1차반응 |
| ⑤ | VMAX | Km | 1차반응 | 2차반응 |

# 31

다음 사진에서 보이는 기계는 무엇인가?

① 굴절계
② PH 측정계
③ 요 비중계
④ 대변 분별기
⑤ 요단백 검사기

# 32

다음은 요침사에서 관찰 가능한 원주로 무엇인가?

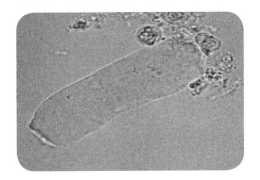

① 초자 원주
② 납양 원주
③ 지방 원주
④ 백혈구 원주
⑤ 상피세포 원주

# 혈액학검사

## 33

아래 사진의 상층부 색깔이 담황색으로 보이는 것은 무엇 때문인가?

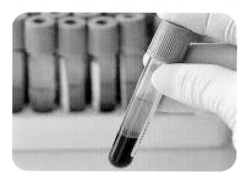

① 피브리노겐
② 빌리루빈
③ 헤모글로빈
④ 섬유소원
⑤ 백혈구

## 34

다음 사진의 화살표가 가리키는 이상세포의 감별을 위해 사용되는 염색법은 무엇인가?

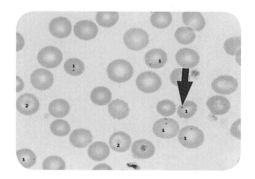

① PAS stain
② Prussian blue stain
③ H&E stain
④ Feulgen reaction
⑤ Brilliant cresyl blue stain

## 35

다음 사진은 백혈구의 성숙과정 중의 한 세포로 염색질이 섬세한 특징을 갖는다.
이 세포는 무엇인가?

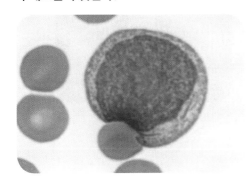

① Myeloblast

② Promyelocyte

③ Myelocyte

④ Metamyelocyte

⑤ Neutrophil

## 36

다음 사진의 세포는 백혈구의 성숙과정 중의 한 세포로 대표적인 특징은 무엇인가?

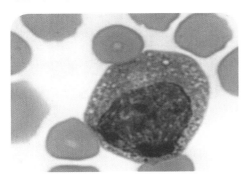

① 핵이 없다.

② 비특이적인 1차 과립이 풍부하다.

③ 특이적인 2차 과립이 출현한다.

④ 세포분열을 하지 않는다.

⑤ 정상적인 사람의 말초혈액에는
출현하지 않는다.

## 37

다음 사진의 검사 기계로 측정이 불가능한 것은 무엇인가?

① WBC

② RBC

③ Hb

④ PLT

⑤ HbA$_1$C

## 38

위 사진의 기계로 측정할 때 사용해야 할 혈액 튜브는 무엇인가?

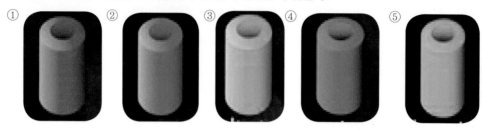

## 39

다음 혈액 튜브 중 적혈구 삼투압 취약성 검사에 사용되는 튜브는 무엇인가?

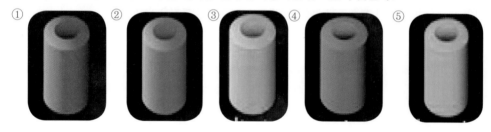

## 40

다음 파이펫은 Hemoglobin 을 측정할 때 사용하며 Cyanmet hemoglobin법에서 사용되는 기구로 파이펫의 용적은 얼마인가?

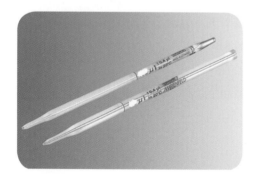

① 10 μL

② 20 μL

③ 30 μL

④ 100 μL

⑤ 200 μL

## 41

다음 사진에서 보이는 시약은 무엇을 측정하는데 사용되는 시약인가?

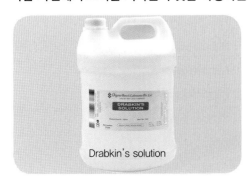

Drabkin's solution

① Hemoglobin

② HbA1C

③ Hematocrit

④ RBC

⑤ WBC

## 42

다음은 혈색소 검사시 사용하는 기계로 흡광도를 측정할 때 사용한다. 파장 몇에서 흡광도를 측정하는가?

① 120 nm

② 240 nm

③ 380 nm

④ 420 nm

⑤ 540 nm

## 43

다음 사진의 혈액제제에 관한 설명으로 옳은 설명은 무엇인가?

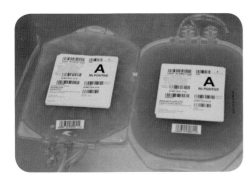

① 단일 채혈백에서 혈액제제의 제조가 가능하다.

② −18℃ 이하에서 보존해야 한다.

③ 채혈 후 유효기간은 35일이다.

④ 실온에서 보관한다.

⑤ 성분채집혈소판이다.

## 44

다음 사진의 기기는 무엇인가?

① Blood mixer

② Plasma extractor

③ Centrifuge

④ Plasma separator

⑤ Platelet agitator

## 45

다음 사진의 기계는 어떤 용도로 사용되는가?

① 방사선조사

② 혈소판응집

③ 교차적합시험

④ 성분채집

⑤ 쿰스검사

## 46

위의 사진의 기계는 어떠한 질병을 예방하기 위함인가?

① 백혈병

② 혈우병

③ 악성빈혈

④ DIC

⑤ 이식 편대 숙주병

# 47

다음 표는 적혈구 항체의 특성을 구분한 것으로 괄호 안에 들어갈 면역 글로불린 종류에 해당하는 것은 무엇인가?

| | ( ) | Ig G |
|---|---|---|
| 항체구분 | 완전 항체 | 불완전 항체 |
| 성 질 | 자연 항체 | 면역 항체 |
| 온도반응 | 한랭항체(4℃) | 온난항체(37℃) |
| 태반통과 | 통과 안함 | 통과함 |
| 검출항체 | anti-A, B, H, I, P, Lewis | anti-Rh, Kell, Kidd, Duffy 등 |
| 용혈기전 | 혈관 내 용혈반응 | 혈관 외 용혈반응 |
| 검출매질 | 식염수 매질 | 알부민, 쿰스혈청, 효소매질 |

① Ig G

② Ig A

③ Ig M

④ Ig D

⑤ Ig E

# 48

다음은 법제처에서 제정한 채혈금지대상자의 공통기준에 관한 항목으로 건강진단요인을 나열하였다. 이 중 괄호 안에 들어갈 숫자로 바르게 조합된 것은 무엇인가?

| 채혈금지대상자(제2조의2 및 제7조관련) |
|---|
| 공통기준 |
| 1. 건강진단 관련요인 |
| 　　가. 체중이 남자는(　　　) kg 미만, 여자는(　　　) kg 미만인 자 |
| 　　나. 체온이 섭씨 37.5°를 초과하는 자 |
| 　　다. 수축기 혈압이 90 mm (수은주압) 미만 또는 180 mm (수은주압) 이상인 자 |
| 　　라. 이완기 혈압이 100 mm (수은주압) 이상인 자 |
| 　　마. 맥박이 1분에 50회 미만 또는 100회를 초과하는 자 |

① 남자: 53　　여자: 48

② 남자: 50　　여자: 45

③ 남자: 48　　여자: 43

④ 남자: 50　　여자: 48

⑤ 남자: 53　　여자: 50

# 임상미생물검사

## 49

다음은 세균의 그람염색 사진으로 매염제로 쓰이는 시약은 무엇인가?

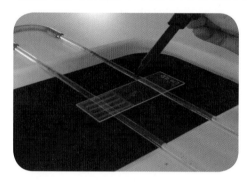

① Crystal violet

② Acetone-alcohol

③ Lugol's iodine

④ Safranin O

⑤ Carbol fuchsin

## 50

다음 사진의 검사는 Gelatinase test로 어떤 균에서 양성을 보이는가?

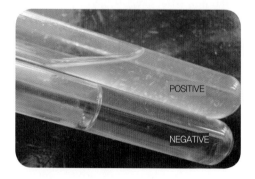

① Staphylococcus aureus

② Staphylococcus saprophyticus

③ Streptococcus pneumoniae

④ Streptococcus agalactiae

⑤ Neisseria gonorrhoeae

## 51

다음 사진은 Bile-esculin test로 양성을 보이는 세균은 무엇인가?

① Staphylococcus aureus

② Enterococcus faecalis

③ Streptococcus pyogenes

④ Viridans streptococcus

⑤ Streptococcus pneumoniae

## 52

다음 사진의 검사 결과로 어떤 균을 의심할 수 있는가?

① Staphylococcus aureus

② Staphylococcus saprophyticus

③ Streptococcus agalactiae

④ Streptococcus pneumoniae

⑤ Streptococcus pyogenes

## 53

다음 사진은 CTA 당분해 시험으로 어떤 균종의 확인을 위한 검사인가?

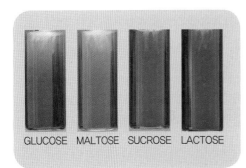

① Moraxella

② Neisseria

③ Vibrio

④ Clostridium

⑤ Pseudomonas

## 54

다음은 Niacin test 결과로 오른쪽 반응에 해당하는 세균은 무엇인가?

① Mycobacterium tuberculosis

② Mycobacterium bovis

③ Listeria monocytogenes

④ Corynebacterium diphtheria

⑤ Neisseria meningitides

## 55

다음은 EMB 배지에서 배양된 균으로 어떤 균을 의심할 수 있는가?

① Proteus mirabilis

② Salmonella typhi

③ Klebsiella pneumoniae

④ Escherichia coli

⑤ Shigella sonnei

## 56

다음은 MacConkey agar에서 자란 적색 집락의 모습이다. Lactose를 비분해하지만 이러한 결과가
나올 수 있는 세균은 무엇인가?

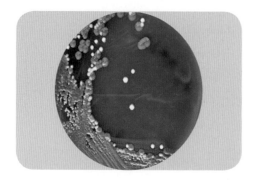

① Enterobacter aerogenes

② Serratia marcescens

③ Salmonella typhi

④ Shigella sonnei

⑤ Klebsiella pneumoniae

## 57

다음은 Urea Breath Test(요소 호기 시험)으로 어떤 균을 측정하기 위한 시험인가?

① Treponema pallidum

② Campylobacter jejuni

③ Helicobacter pylori

④ Mycoplasma pneumoniae

⑤ Shigella dysenteriae

## 58

다음은 이(louse)가 물어서 재귀열을 유발하는 균을 염색한 사진이다. 무엇인가?

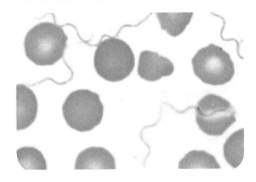

① Borrelia burgdoferi

② Borrelia recurrentis

③ Campylobacter jejuni

④ Helicobacter pylori

⑤ Salmonella typhi

## 59

다음 사진은 진균 배양시 가장 많이 사용하는 배지로 이 배지의 pH는 얼마인가?

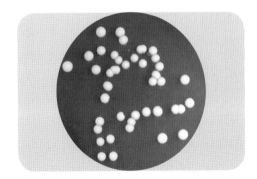

① pH 2.6

② pH 3.2

③ pH 4.8

④ pH 5.6

⑤ pH 7.2

## 60

다음은 전자현미경으로 관찰한 바이러스의 모습으로 이와 같은 모습을 보이는 바이러스는 무엇인가?

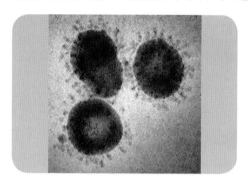

① Rotavirus

② Corona virus

③ Rabies virus

④ Rubella virus

⑤ Herpes virus

## 61

다음 사진은 어떤 기생충의 충란인가?

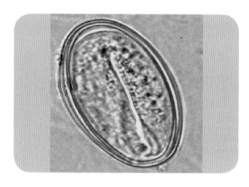

① 회충란

② 요충란

③ 편충란

④ 분선충란

⑤ 선모충란

## 62

다음 사진은 어떤 기생충의 충란인가?

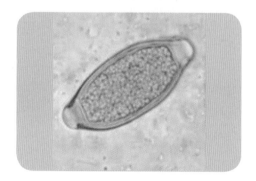

① 어메리카 구충란

② 선모충란

③ 분선충란

④ 두비니구충란

⑤ 편충란

## 63

다음은 어떤 검사를 도식화한 그림인가?

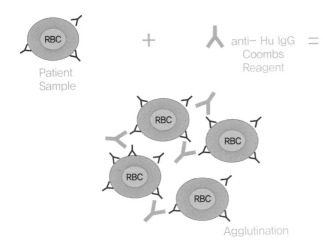

① RPR test

② EIA test

③ Cross matching

④ Direct coomb's test

⑤ Indirect coomb's test

## 64

다음 사진의 기기를 사용하는 검사는 무엇인가?

① ESR

② HBs Ag

③ VDRL

④ CRP

⑤ BT

## 65

다음은 ANA 간접면역형광 염색법의 결과로 어떤 유형에 해당하는가?

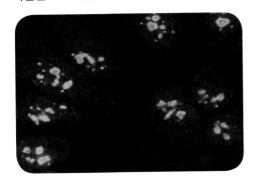

① Homogenous type

② Speckled type

③ Peripheral type

④ Nucleolar type

⑤ Centromere type

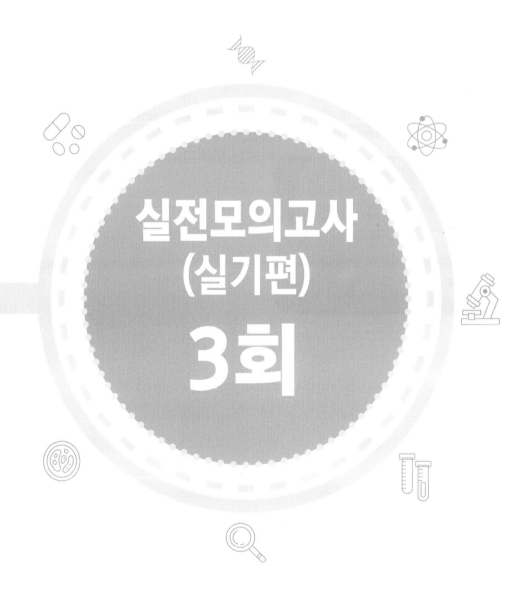

실전모의고사
(실기편)
3회

# 3회 조직 · 세포병리검사

## 01

다음 사진은 Congo red 염색 결과로 토리 주변의 혈관벽에 침착된 amyloid 의 모습을 현미경으로 검경한 사진이다. 어떤 현미경으로 관찰한 것인가?

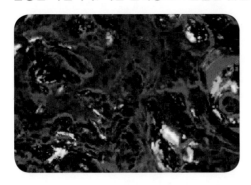

① 광학현미경
② 편광현미경
③ 형광현미경
④ 투과전자현미경
⑤ 위상차현미경

## 02

다음 그림은 현미경을 모식도한 그림으로 어떤 현미경을 나타낸 것인가?

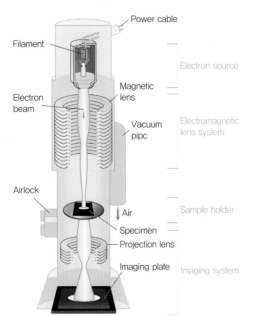

① 광학현미경
② 편광현미경
③ 형광현미경
④ 투과전자현미경
⑤ 위상차현미경

## 03

다음 사진은 조직을 고정하는 모습이다. 조직 고정의 목적에 해당하지 <u>않는</u> 것은 무엇인가?

① 염색에 대한 매염 작용

② 자가 융해 방지

③ 조직 손상 방지

④ 미생물에 의한 부패 방지

⑤ 박절의 용이

## 04

아래 사진은 생검 검체 절취법 중 하나로 무엇인가?

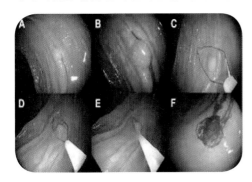

① 감시림프절 생검

② 시험소파술

③ Endoscopic biopsy (내시경 생검)

④ ESD (내시경 점막 밑 절제술)

⑤ EMR (내시경 점막절제술)

## 05

다음 사진의 검체를 조직 표본 제작하기 위해서는 어떠한 절취법을 사용해야 하는가?

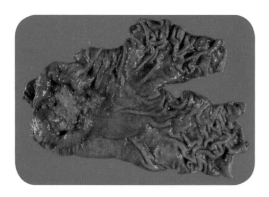

① 앞벽에서 T자형으로 절취하고 자궁강을 양쪽 자궁관의 입구까지 절개하여 고정한다.

② 중앙 부분과 중앙 위쪽 부분에서 각 1개씩의 가로단면 조직을 절취하고 끝부분의 1/3을 긴축에 평행하도록 세로 단면 조직편을 절취한다.

③ 기관지에 고정액을 주입하여 고정하고 폐 실질을 절취한다.

④ 큰굽이를 가위로 절개하여 코르크판에 잘 펴서 곤충핀으로 고정한다. 병변의 중앙을 관통하는 작은 굽이에 평행하도록 절취한다.

⑤ 작은 굽이를 먼저 절개하여 고정액을 주입하여 고정시킨 후 큰 굽이와 평행하도록 절취한다.

## 06

다음은 형질세포의 증명에 유용한 염색법으로 무엇인가?

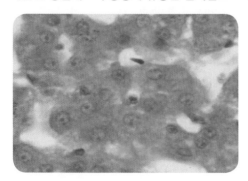

① Acridine orange stain

② Masson trichrome stain

③ AZAN stain

④ MG−P stain

⑤ Gomori reticulum stain

## 07

다음 사진은 핵산염색법 중 아크리딘 오렌지(Acridine orange) 형광염색이다. 녹색 형광 부분이
나타나는 곳은 어디인가?

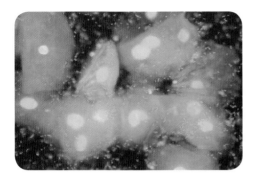

① DNA
② RNA
③ 섬유소
④ 아밀로이드
⑤ 수초

## 08

다음 사진의 장기는 무엇인가?

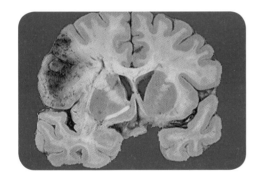

① 이자(췌장)
② 난소
③ 뇌
④ 폐
⑤ 간

## 09

다음은 어떤 조직의 H&E 염색 사진으로 어떤 상피세포를 확인할 수 있는가?

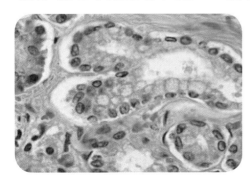

① 단층편평상피세포
② 단층입방상피세포
③ 이행상피세포
④ 중층편평상피세포
⑤ 중층원주상피세포

## 10

다음 사진은 어떤 조직의 경색 부위로 어떤 조직을 나타내는가?

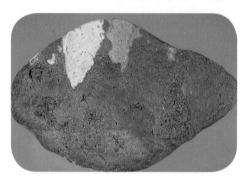

① 심장
② 콩팥
③ 지라(비장)
④ 폐
⑤ 소장

## 11

다음 사진은 단백열량 부족으로 발생하는 질병에 걸린 어린아이의 모습으로 관련된 질병은 무엇인가?

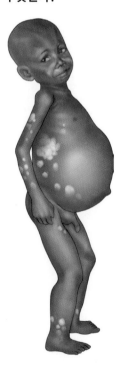

① Marasmus
② Kwashiorkor
③ Rubella
④ German measles
⑤ Varicella

## 12

다음 사진과 관련된 검사법은 무엇인가?

① 세침천자흡인세포검사법

② 날인도말법

③ 액상세포도말법

④ 탈락세포검사법

⑤ 조직검사학법

## 13

다음 사진의 부위는 검체 채취의 주요 부위로 암이 가장 많이 호발하는 부위이기도 하다.
화살표 부위는 어디인가?

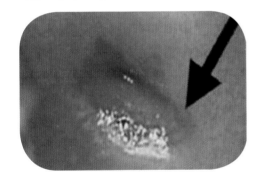

① 자궁목의 편평−원주경계부위
　　(Squamo−columnar junction, SCJ)

② 후질원개 (Posterior vaginal fornix)

③ 자궁강 (Uterine cavity)

④ 탈락막세포 (Decidual cell)

⑤ 간질세포 (Endometrial stromal cells)

## 14

다음 사진의 세포는 혈중 어떤 호르몬과 관련이 있는가?

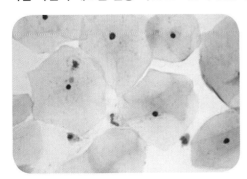

① 에스트로겐

② 프로게스테론

③ 안드로겐

④ 테스토스테론

⑤ 인히빈

## 15

다음 사진은 자궁속막에서 관찰된 것으로 무엇인가?

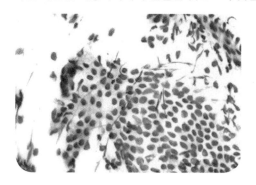

① 이주세포

② 점액생산 원주세포

③ 림프구

④ 난포세포

⑤ 간질세포

## 16

다음 사진의 세포는 무엇인가?

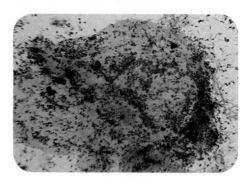

① Neisseria gonorrhoeae

② Candida albicans

③ Leptotrichia bucalis

④ Trichomonas vaginalis

⑤ Gardnerella vaginalis

# 임상화학검사

## 17

다음 사진의 기구는 무엇인가?

① 삼각 플라스크
② 혈청 분리기
③ 혈액 추출기
④ 증류 깔때기
⑤ 분별 깔때기

## 18

다음 사진의 pipette 은 무엇인가?

① Volumetric pipette
② Ostwald pipette
③ Mohr pipette
④ Serological pipette
⑤ Eppendorf pipette

## 19

다음 사진의 초자기구는 어떤 검사법과 관련이 있는가?

① Fiske subbarow 법

② Schales and Schales 법

③ Micro-kjeldahl 법

④ Folin-wu 법

⑤ Kind-king 법

## 20

다음은 혈액 검체를 보관중인 모습의 사진으로 직사광선에 불안정한 검사 항목은 무엇인가?

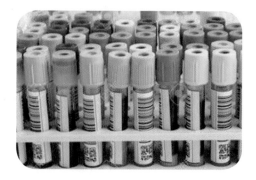

① LDH

② Ammonia

③ Cholesterol

④ Bilirubin

⑤ ALP

.21

다음은 어떤 기계의 구조도로 이 기계에 사용되는 광원은 무엇인가?

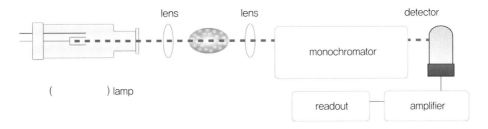

① Hollow cathode lamp

② Tungsten lamp

③ Xenon lamp

④ Globar lamp

⑤ Nernst Glower lamp

## 22

다음 보기에서 정밀도는 좋지만 정확도가 떨어지는 그래프는 어느 것인가?

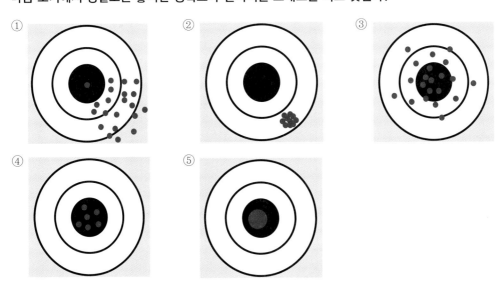

## 23

다음 그래프에서 화살표가 가리키는 부분의 상태가 발생한 원인은 무엇인가?

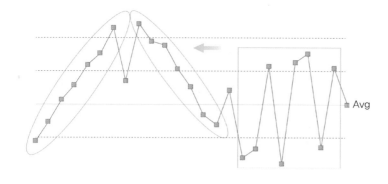

① 검체의 오염
② 항온조온도 상승
③ 항온조온도 하강
④ 표준액 희석
⑤ 표준액 농축

## 24

다음 사진의 전기영동상에서 사용된 염색액은 무엇인가?

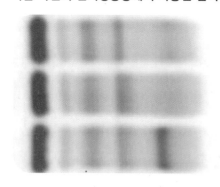

① Amido black 10B
② Sudan Ⅲ
③ Ponceau S
④ Nigrosine
⑤ Oil red O

## 25

다음은 단백질을 전기영동 한 그래프로 다음 분획을 나타내는 질병은 무엇인가?

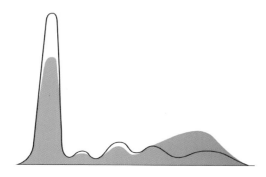

① 급성염증
② 당뇨
③ 다발성골수종
④ 간경화
⑤ 심근경색

## 26

다음 중 Biuret 시약의 색은 어느 것인가?

① 　② 　③ 　④ 　⑤

## 27

다음은 인 측정을 위한 Fiske-Subbarow법의 측정 과정으로 이 측정법에서 사용되는 발색시약은 무엇인가?

① NaOH

② Diazo 시약

③ Berthelot 시약

④ ammonium oxalate

⑤ ammonium molybdate

## 28

다음은 요침사 사진이다. 무엇이 관찰되는가?

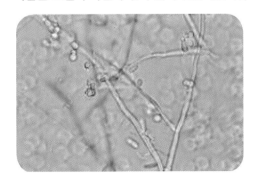

① 박테리아

② 효모

③ 원주

④ Leucine

⑤ Cholesterol

## 29

다음은 요침사에서 관찰 가능한 원주로 어떤 질환에서 관찰 가능한가?

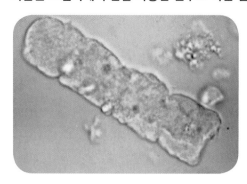

① Fat 질환
② 뇌질환
③ 폐질환
④ Amyloid 질환
⑤ 피부질환

## 30

다음 사진은 요의 시험지법 때 사용하는 시험지와 기계로 검사 항목에 해당하지 <u>않는</u> 것은 무엇인가?

① pH
② protein
③ glucose
④ color
⑤ bilirubin

## 31

다음 사진의 기기는 무엇인가?

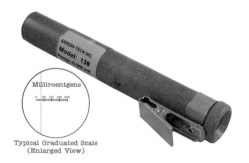

① 알파선 계측기
② 베타선 계측기
③ 감마선 계측기
④ 방사능 측량계
⑤ 포켓선량계

## 32

**다음 사진의 기기는 무엇인가?**

① 알파선 계측기

② 베타선 계측기

③ 감마선 계측기

④ 방사능 측량계

⑤ 포켓선량계

## 33

다음은 조혈과정을 태아 조혈 시기와 성인 조혈 시기의 단계로 분류한 그림으로 괄호 안에 들어가야 할 부위는 어디인가?

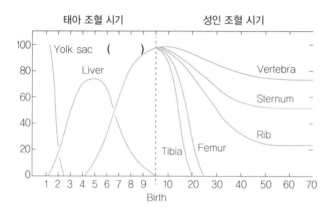

① Lymph node

② Spleen

③ Bone marrow

④ Stomach

⑤ Kidney

## 34

다음 사진에서 보이는 것은 무엇인가?

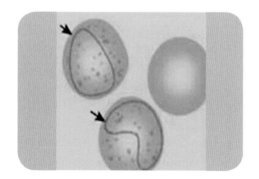

① Cabot ring

② Basophilic-stippling

③ Malaria

④ Heinz bodies

⑤ RNA

## 35

다음 사진에서 보이는 세포는 무엇인가?

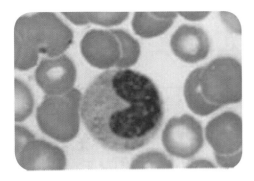

① Myeloblast

② Promyelocyte

③ Myelocyte

④ Metamyelocyte

⑤ Neutrophil

## 36

다음 사진은 성숙 백혈구를 나타낸 것으로 어떤 세포를 나타낸 것인가?

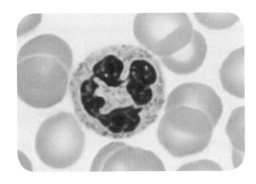

① 호중구

② 호산구

③ 호염기구

④ 단핵구

⑤ 림프구

## 37

다음 사진의 세포 출현으로 의심할 수 있는 질환은 무엇인가?

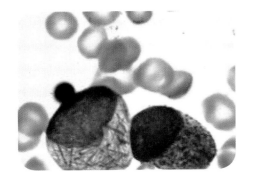

① DIC

② 만성골수성백혈병

③ 급성골수성백혈병

④ 만성림프구성백혈병

⑤ 만성골수성백혈병

## 38

다음 사진의 Philadelphia 염색체와 관련 깊은 질환은 무엇인가?

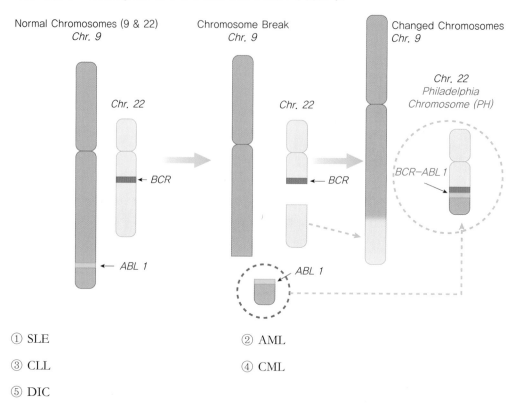

① SLE

② AML

③ CLL

④ CML

⑤ DIC

## 39

다음 사진에서 보이는 세포는 무엇인가?

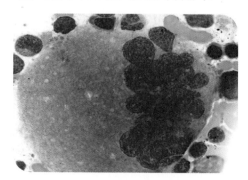

① 혈소판

② 거핵모구

③ 전거핵구

④ 거핵구

⑤ 조골세포

## 40

다음 사진은 무엇인가?

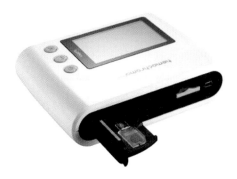

① 당화혈색소 측정기
② 혈소판 측정기
③ 백혈구 측정기
④ 혈색소 측정기
⑤ 적혈구 용적률 측정기

## 41

다음 사진의 기계는 무엇을 측정하기 위함인가?

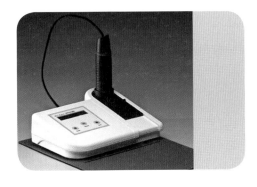

① 적혈구용적률 측정
② 당화혈색소 측정
③ 이상혈색소 측정
④ 적혈구지수 측정
⑤ 백혈구수 측정

## 42

다음 사진의 기기를 이용한 검사방법은 무엇인가?

① Wintrobe 법
② 자동혈구계산기법
③ Cyanmet hemoglobin법
④ Rees and Ecker법
⑤ Micro hematocrit법

## 43

다음은 황산동(CuSO₄)용액을 이용한 헌혈자의 빈혈 검사로 어떠한 항목을 측정하는 것인가?

① 혈액량 검사
② 적혈구 수치 검사
③ 적혈구 용적률 검사
④ 혈액 비중 검사
⑤ 혈소판 계수 검사

## 44

다음 사진의 기계는 무엇인가?

① 적혈구 성분채집술
② 골수 성분채집술
③ 혈장 성분채집술
④ 백혈구 성분채집술
⑤ 혈소판 성분채집술

## 45

다음 사진의 기계는 무엇인가?

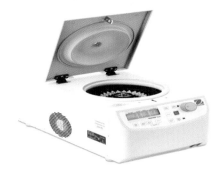

① 원심분리기
② 동결혈장해동기
③ PCR
④ 채혈백 봉합기
⑤ 혈장분리기

## 46

다음 사진의 기계는 무엇인가?

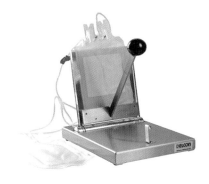

① 혈소판분리기
② 신선동결혈장분리기
③ 혈장분리기
④ 혈청분리기
⑤ 혈색소분리기

## 47

다음 사진의 기계는 무엇인가?

① 혈청분리기
② 원심분리기
③ 자동혈구세척기
④ 항체동정기
⑤ 혈구부유액혼합기

## 48

다음 사진은 무엇을 나타내는가?

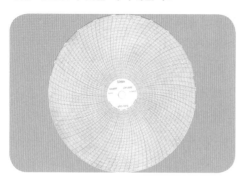

① 혈액불출기록지

② 온도기록지

③ 적혈구 용적률 검사지

④ 항체 검사 결과지

⑤ 수혈 검사 기록지

## 49

다음 사진은 고체배지로 한천이 몇 % 포함되어 있는가?

① 0.5%

② 1.5%

③ 5.5%

④ 10.5%

⑤ 15%

## 50

다음은 coagulase test로 양성을 보이는 세균은 무엇인가?

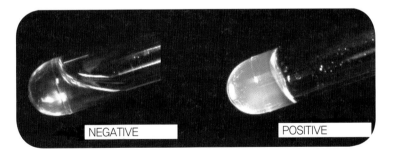

① Staphylococcus aureus

② Staphylococcus epidermidis

③ Staphylococcus saprophyticus

④ Streptococcus pyogenes

⑤ Enterococcus faecalis

## 51

다음 사진은 어떤 검사의 결과를 나타낸 것인가?

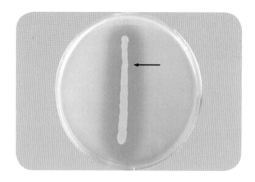

① coagulase test
② catalase test
③ DNase test
④ Protein A test
⑤ CAMP test

## 52

다음 사진의 검사법은 무엇인가?

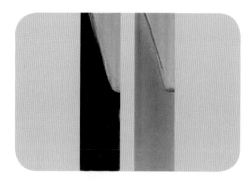

① Bacitracin disk 감수성 검사법
② DNase test
③ Catalase test
④ CAMP test
⑤ Bile-esculin test

## 53

다음 사진에서 보이는 A disk는 무엇을 의미하는가?

① Vancomycin disk
② Optochin disk
③ Bacitracin disk
④ Novobiocin disk
⑤ Niacin disk

## 54

다음은 CTA 당분해 시험 결과로 감별할 수 있는 세균은 무엇인가?

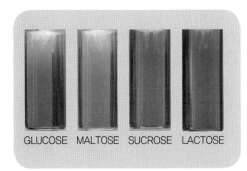

① Neisseria gonorrhoeae

② Neisseria meningitides

③ Neisseria lactamica

④ Neisseria sicca

⑤ Moraxella

## 55

다음은 MacConkey 배지에서 배양된 균으로 어떤 균을 의심할 수 있는가?

① Proteus mirabilis

② Salmonella typhi

③ Pseudomonas aeruginosa

④ Escherichia coli

⑤ Shigella sonnei

## 56

다음은 IMViC test 결과로 어떤 세균에서 볼 수 있는가?

① Citrobacter freundii

② Klebsiella pneumoniae

③ Yersinia pestis

④ Salmonella typhi

⑤ Escherichia coli

## 57

다음 사진은 nutrient agar에서 배양된 균 사진으로 prodigiosin이라는 색소를 생성한다.
이 세균은 무엇인가?

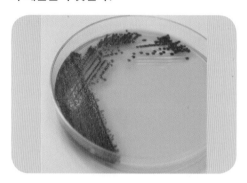

① Salmonellatyphi

② Serratia marcescens

③ Proteus vulgaris

④ Marganella morganii

⑤ Klebsiella pneumoniae

## 58

다음 사진에서 보이는 현상과 관련 있는 균종은 무엇인가?

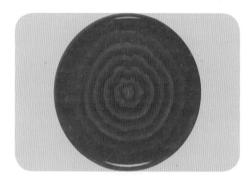

① Escherichia 균종

② Shigella 균종

③ Salmonella 균종

④ Klebsiella 균종

⑤ Proteus 균종

## 59

다음 검사는 진균 동정을 위한 검사로 무엇인가?

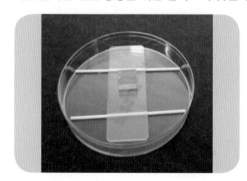

① DTM

② 라텍스 응집법

③ 발아관 시험 (Germ tube test)

④ 후막포자 시험

⑤ 슬라이드 배양 (Slide culture)

## 60

다음 사진은 총알 모양의 바이러스로 어떤 질병과 연관 있는가?

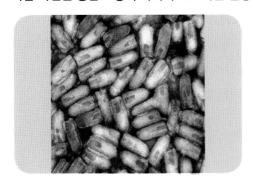

① 일본뇌염
② 자궁경부암
③ 광견병
④ 풍진
⑤ 에이즈

## 61

다음 사진은 어떤 아메바의 포낭형인가?

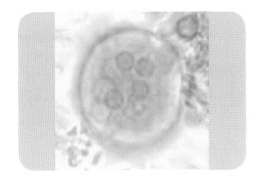

① 이질 아메바
② 왜소 아메바
③ 치은 아메바
④ 대장 아메바
⑤ 이핵 아메바

## 62

다음 사진은 어떤 기생충의 영양형인가?

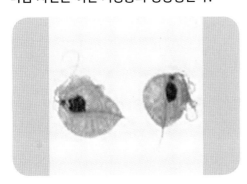

① 맹장편모충
② 람불편모충
③ 질편모충
④ 대장섬모충
⑤ 말라리아

## 63

다음 사진의 기기를 사용하는 검사는 무엇인가?

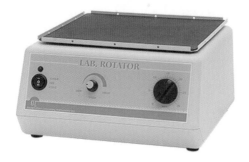

① CRP
② Western blotting
③ HLA 항원검사
④ ESR
⑤ VDRL

## 64

다음은 HBs Ag 검사법으로 무엇인가?

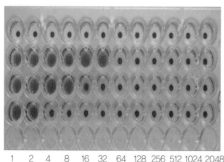

① VDRL
② ANA
③ ASLO
④ RPHA
⑤ HLA

## 65

다음은 ANA 간접면역형광 염색법의 결과로 어떤 유형에 해당하는가?

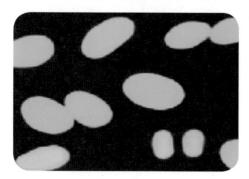

① Homogenous type
② Speckled type
③ Peripheral type
④ Nucleolar type
⑤ Centromere type

# MEMO

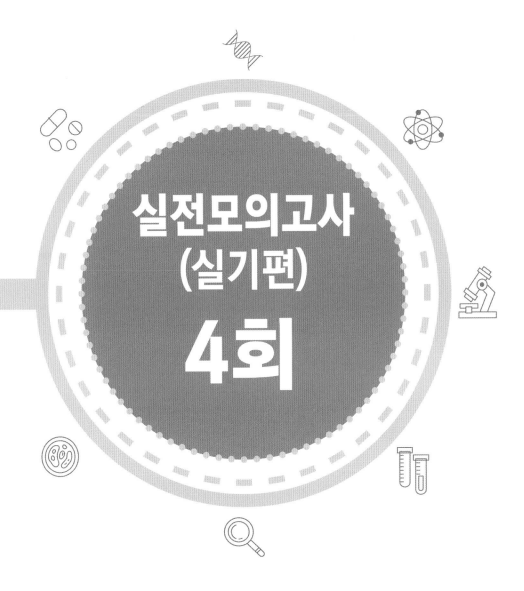

실전모의고사
(실기편)
4회

# 조직 · 세포병리검사

## 01

다음 사진은 포르말린 고정액에 조직을 고정 중인 모습으로 10% 포르말린 고정액은 몇 %의 포름알데히드 수용액을 의미하는가?

① 1% 포름알데히드 수용액

② 3.7~4.0% 포름알데히드 수용액

③ 10% 포름알데히드 수용액

④ 37~40% 포름알데히드 수용액

⑤ 70% 포름알데히드 수용액

## 02

다음 그림은 어떤 고정을 나타낸 것인가?

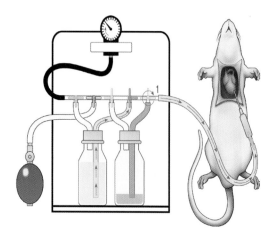

① 주입고정

② 담금고정

③ 관류고정

④ 동결고정

⑤ 증기고정

## 03

다음 사진의 기구는 조직표본제작과정 중 어느 단계에서 사용되는가?

① 탈수
② 투명
③ 침투
④ 포매
⑤ 박절

## 04

다음 사진에서 화살표로 표시된 곳은 조직포매장치의 가온실로 몇°C로 유지해야 하는가?

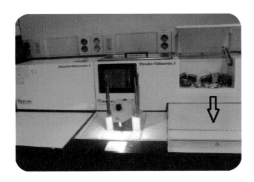

① −4°C
② 4°C
③ 18°C
④ 37°C
⑤ 60°C

## 05

다음 사진의 염색에서는 어떤 고정액의 사용이 이상적인가?

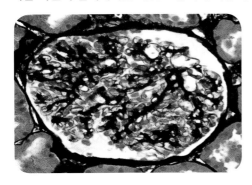

① Formalin 고정액
② Zenker 고정액
③ Helly 고정액
④ Bouin 고정액
⑤ Dubosq-Brazil 고정액

## 06

다음은 박절용 칼의 종류 중 하나이다. 관련된 설명으로 옳은 것은 무엇인가?

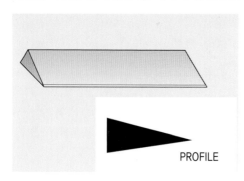

PROFILE

① 한쪽은 평면이고 한쪽은 오목하게
   들어간 형이다.
② 평면-만곡형 칼이다.
③ 주로 셀로이딘 블록의 박절에 사용한다.
④ 평면-쐐기형 칼로 가장 널리 사용된다.
⑤ 주로 비탈회 뼈조직의 박절에 사용한다.

## 07

다음 염색은 산성 점액과 중성 점액을 감별하는 방법이다. 이 염색법의 이름은 무엇인가?

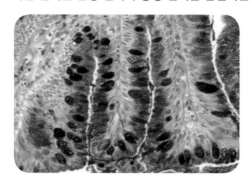

① Diastase – PAS stain
② H&E stain
③ Alcian blue stain
④ PAS stain
⑤ Alcian blue – PAS stain

## 08

다음 사진의 장기는 무엇인가?

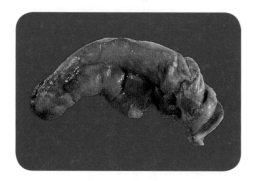

① 막창자꼬리
② 갑상샘
③ 위
④ 콩팥
⑤ 심장

# 09

다음 사진의 세포에서 확인할 수 있는 세포의 상태는 어떠한가?

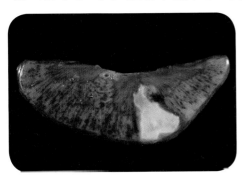

① 응고괴사

② 액화괴사

③ 지방괴사

④ 건락괴사

⑤ 섬유소성괴사

# 10

다음 사진은 염색체 검사 결과이다. 확인할 수 있는 질환은 무엇인가?

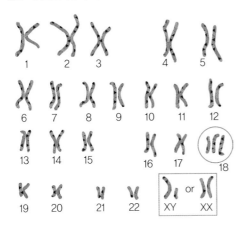

① 다운 증후군

② 터너 증후군

③ 에드워드 증후군

④ 클라인펠터 증후군

⑤ 파타우 증후군

## 11

다음 사진은 소화관을 구성하는 층으로 화살표 부위는 어디를 가리키는가?

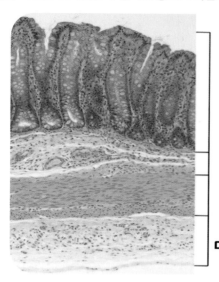

① 점막층
② 점막밑층
③ 근육층
④ 장막층
⑤ 장막밑층

## 12

다음 그림은 ThinPrep 장치를 이용한 액상세포도말법의 단계로 옳은 것은 무엇인가?

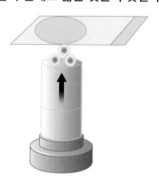

① 세포수집 → 세포이전 → 세포분산
② 세포수집 → 세포고정 → 세포분산
③ 세포고정 → 세포수집 → 세포분산
④ 세포분산 → 세포고정 → 세포수집
⑤ 세포분산 → 세포수집 → 세포이전

## 13

다음 사진의 기구는 부인과 검체의 채취 시 사용되는 것으로 무엇인가?

① Ayre's spatula

② Cervix brush

③ Bloom brush

④ Endocervical brush

⑤ Tongue depressor

## 14

다음 사진의 세포 출현은 혈중 어떤 호르몬의 농도가 높아짐을 의미하는가?

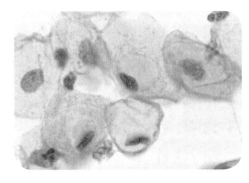

① 카테콜아민

② 테스토스테론

③ 에스트로겐

④ 프로게스테론

⑤ 안드로겐

## 15

다음은 부인과 세포 도말 표본으로 어느 병변으로 진단 할 수 있는가?

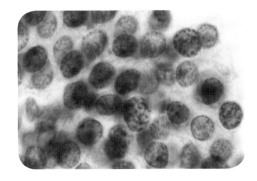

① Mild dysplasia

② Moderate dysplasia

③ Severe dysplasia

④ CIS

⑤ SCC

## 16

다음 사진의 세포는 무엇인가?

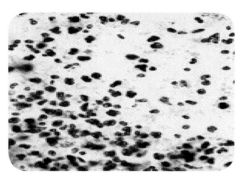

① Gardnerella vaginalis

② Trichomonas vaginalis

③ Torulopsis glabrata

④ Leptotrichia buccalis

⑤ Actinomyces

# 임상화학검사

## 17

다음 사진의 pipette은 무엇인가?

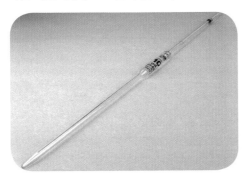

① Volumetric pipette

② Ostwald pipette

③ Mohr pipette

④ Serological pipette

⑤ Eppendorf pipette

## 18

다음은 병원에서 공복 상태에서 채혈하는 사진으로 식사에 영향을 받지 <u>않는</u> 혈액 검사 항목은 무엇인가?

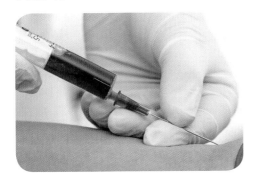

① Cholesterol

② Glucose

③ TG

④ Insulin

⑤ GTT

## 19

다음 사진은 pipette을 사용하여 표준액을 시험관에 옮기는 모습으로 옳은 설명은 무엇인가?

① 바닥 끝부분에 닿기 전까지 pipette을 넣어서 분주한다.

② Pipette을 바닥 끝부분에 닿도록 하여 분주한다.

③ 시험관의 입구에 닿지 않도록 가운데에서 분주한다.

④ 기벽에 대고 흘러내린다.

⑤ 상관없이 자유롭게 옮기면 된다.

## 20

다음 사진의 기구는 무엇인가?

① pH meter

② Barometer

③ Tachometer

④ Gas analyzer

⑤ Centrifuge

## 21

위 사진은 무엇을 측정할 때 사용하는가?

① 온도

② 용혈유무

③ 지질단백질 분리

④ 혈청 분리

⑤ 원심력

# 22

다음은 어떤 기계의 구조도로 이 기계에 사용되는 광원은 무엇인가?

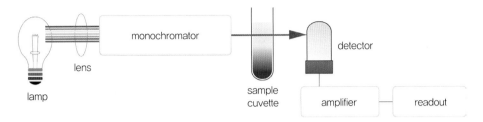

① Hollow cathode lamp      ② Tungsten lamp

③ Xenon lamp      ④ Globar lamp

⑤ Nernst Glower lamp

# 23

다음 그래프는 무엇이 높은가?

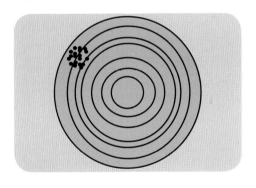

① 정확도

② 정밀도

③ 신뢰도

④ 특이도

⑤ 모두 낮다.

# 24

다음 그래프에서 동그라미 친 부분의 상태가 발생한 원인은 무엇인가?

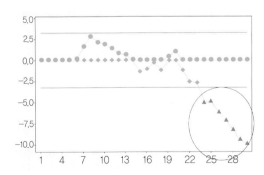

① 검체의 오염

② 항온조 온도 상승

③ 항온조 온도 하강

④ 표준액 희석

⑤ 희석기와 분주기 부피가 클 경우

## 25

다음은 혈청을 전기영동 한 그래프로 다음 분획을 나타내는 질병은 무엇인가?

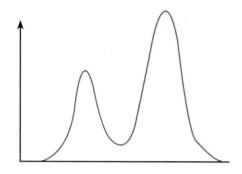

① 급성염증
② 당뇨
③ 다발성골수종
④ 간경화
⑤ 심근경색

## 26

다음은 17-KS의 Zimmermann 반응의 결과로 이 측정법에서 사용되는 발색시약 성분은 무엇인가?

① Phenylhydrazine
② Phenylphosphate
③ m-dinitrobenzene
④ acetylacetone
⑤ ρ-dimethyl aminobenzaldehyde

## 27

다음은 요침사 사진이다. 무엇이 관찰되는가?

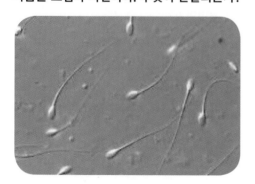

① 트리코모나스
② 적혈구
③ 백혈구
④ 정자
⑤ Triple phosphate

## 28

다음 그림은 무엇의 화학구조인가?

$$NH_2$$
$$|$$
$$R - CH - COOH$$

① 요산
② 크레아틴
③ 아미노산
④ 글루코오스
⑤ 요소

## 29

다음 그림은 어떤 의미의 표시인가?

① 유해물질 취급 표시
② 소음표시
③ 발암물질 위험표시
④ 독성화학물질 취급표시
⑤ 방사성 동위원소 취급표시

## 30

방사선 작업기간 동안의 피폭량을 나타내며 기록을 영구 보존할 수 있는 측정기기는 무엇인가?

① 방사선 포켓선량계
② 방사능 측량계
③ 방사선 계수기
④ 필름 뱃지
⑤ 열형광선량계

## 31

다음 중 24시간 요에 대한 설명으로 옳지 <u>않은</u> 것은 무엇인가?

① 건강한 성인의 24시간 요량은 약 1200~1500ml 정도이다.

② 보통 24시간 요의 비중은 약 1.015~1.025이다.

③ 17-KS 측정 시 24시간 요를 사용한다.

④ 24시간 요검체는 요 중 화학적 성분의 정량검사에 이용된다.

⑤ 24시간 요의 화학적 검사를 위한 보존제로 포르말린(Formalin)
을 사용한다.

## 32

다음은 어떤 환자의 요의 색조로 녹색을 보인다. 원인은 무엇인가?

① Bilirubin

② Vitamin b

③ Riboflavin

④ Indican

⑤ Hemoglobin

# 4회

# 혈액학검사

## 33

다음 중 혈구의 분화 단계에서 가장 초기단계의 조혈세포는 무엇인가?

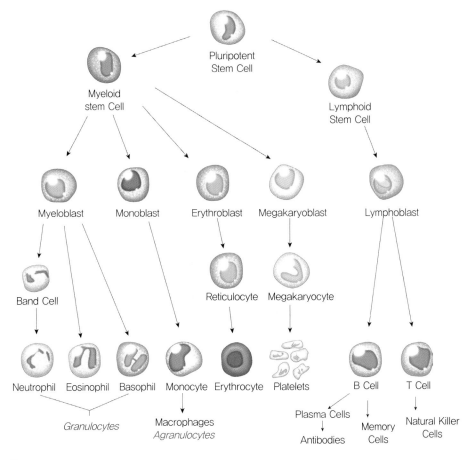

① Megakaryocyte

② Myeloblast

③ Lymphoid stem cell

④ Myeloid stem cell

⑤ Pluripotent stem cell

## 34

다음 사진에서 화살표가 나타내는 세포와 관련이 <u>없는</u> 것은 무엇인가?

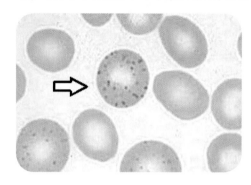

① 호염기성 반점
② 건강한 성인에게 관찰 불가능
③ 납중독 환자에게서 관찰 가능
④ 핵 내 DNA와 관련
⑤ 암청색

## 35

다음 사진은 성숙 백혈구를 나타낸 것으로 어떤 세포를 나타낸 것인가?

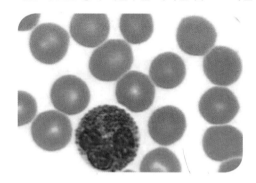

① 호중구
② 호산구
③ 호염기구
④ 단핵구
⑤ 림프구

## 36

다음 사진은 성숙 백혈구를 나타낸 것으로 어떤 세포를 나타낸 것인가?

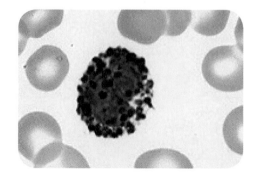

① 호중구
② 호산구
③ 호염기구
④ 단핵구
⑤ 림프구

## 37

다음 사진은 초생체 염색을 한 적혈구 내 봉입체로 무엇인가?

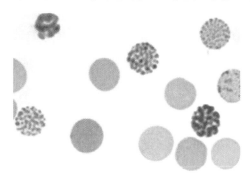

① Hb A crystal

② Hb C crystal

③ Hb H crystal

④ Cabot's ring

⑤ Heinz body

## 38

다음 사진의 세포로 예상되는 질환은 무엇인가?

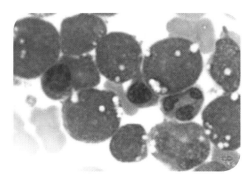

① AML-M3

② AML-M5

③ ALL-L1

④ ALL-L3

⑤ CML

## 39

다음 표는 과립구 성숙에 따른 형태의 변화에 관한 설명으로 옳지 <u>않은</u> 것은 무엇인가?

| 염색질(chromatin) | ① 섬세 (fine) → 거침 (coarse) |
| 핵소체(nucleolus) | ② 소실 (absent) → 출현 (present) |
| 핵(nucleus) | ③ 원형, 난원형 → 분엽 형성 |
| 세포질(cytoplasm) | ④ Blue → Bluish-Pink |
| Peroxidase | ⑤ myeloblast (양성) → promyeloblast부터 (음성) |

# 40

다음 그림의 pipette은 무엇을 측정할 때 사용되는가?

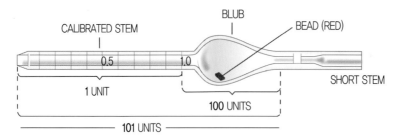

① 적혈구 용적률 측정

② 백혈구 용적률 측정

③ 호산구 수 산정

④ 적혈구 수 산정

⑤ 백혈구 수 산정

# 41

다음은 혈구 수 계산을 위해 사용되는 백혈구 희석 pipette을 그린 그림으로 백혈구가 몇 배 희석되는가?

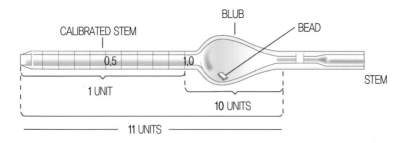

① 2배

② 10배

③ 20배

④ 100배

⑤ 200배

## 42

다음 사진은 무엇인가?

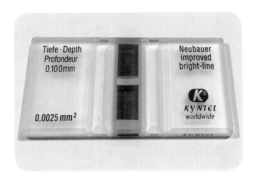

① 혈구계산반
② 커버글라스
③ ESR측정기
④ 백혈구 백분율 계산기
⑤ 적혈구 용적률 측정기

## 43

다음 사진의 기계는 어떤 혈액제제를 보관하며 보관온도는 몇 도 인가?

① 혈소판 보관: 20~24°C
② 혈소판 보관: 1~6°C
③ 전혈 보관: 1~6°C
④ 적혈구 보관: 20~24°C
⑤ 적혈구 보관: 1~6°C

## 44

**다음은 ABO 혈구형 검사 결과로 혈액형은 무엇인가?**

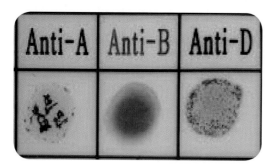

① Rh− A형

② Rh+ A형

③ Rh− B형

④ Rh+ B형

⑤ Rh− AB형

## 45

**다음 사진의 시약은 어떤 식물의 씨앗에서 추출하는가?**

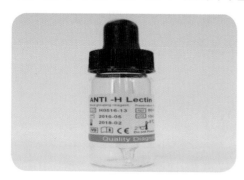

① Dolichos biflorus

② Ulex europaeus

③ Incana

④ Evonymus sieboldiana

⑤ Ricinua communia

## 46

**다음 사진의 시약은 어떤 식물의 씨앗에서 추출하는가?**

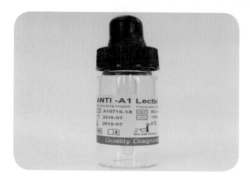

① Dolichos biflorus

② Ulex europaeus

③ Incana

④ Evonymus sieboldiana

⑤ Ricinua communia

# 47

## 다음 사진의 시약은 어떤 검사를 시행할 때 사용하는가?

① Antibody Screening test

② Antibody Idenification test

③ Direct antiglobulin test

④ Indirect antiglobulin test

⑤ Column agglutination

# 48

## 다음 사진은 무엇과 관련이 있는가?

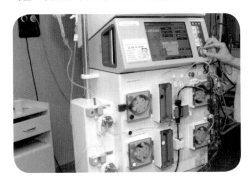

① 적혈구 수혈

② 적혈구 교환술

③ 신장 투석

④ 성분 채혈

⑤ 혈소판 투여

**4회**

# 임상미생물검사

## 49

다음 그림처럼 원인 불명의 열이 발생하여 응급실에 내원한 환자에게 어떤 검사를 시행하는 것이 임상적으로 의미가 있는가?

① 요 배양(urine culture)

② 대변 배양(stool culture)

③ 혈액 배양(blood culture)

④ 객담 배양(sputum culture)

⑤ 호흡 배양(breath culture)

## 50

다음은 coagulase test로 양성을 보이는 세균은 무엇인가?

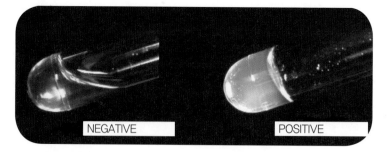

① Staphylococcus aureus

② Staphylococcus epidermidis

③ Staphylococcus saprophyticus

④ Streptococcus pyogenes

⑤ Enterococcus faecalis

# 51

다음 사진은 어떤 검사의 결과를 나타낸 것인가?

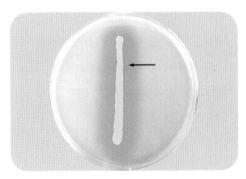

① coagulase test

② catalase test

③ DNase test

④ Protein A test

⑤ CAMP test

# 52

다음 사진의 검사법은 무엇인가?

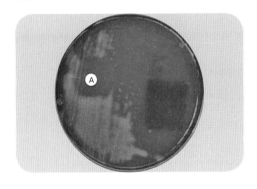

① Niacin test

② Optochin test

③ CAMP test

④ Bacitracin disk 감수성 검사법

⑤ 마뇨산 가수분해 시험

# 53

다음은 CTA 당분해 시험 결과로 예상할 수 있는 세균은 무엇인가?

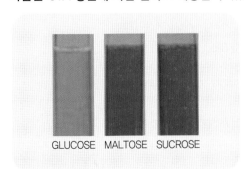

① Neisseria gonorrhoeae

② Neisseria meningitides

③ Neisseria lactamica

④ Neisseria sicca

⑤ Moraxella

## 54

다음 사진은 남성의 요도 검체를 그람 염색한 것으로 확인 가능한 세균은 무엇인가?

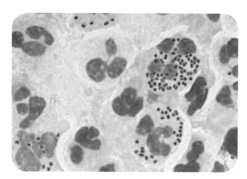

① Streptococcus pneumoniae

② Mycobacterium tuberculosis

③ Corynebacterium diphtheriae

④ Neisseria gonorrhoeae

⑤ Neisseria meningitides

## 55

다음 사진은 TSI agar에서 반응한 결과로 사진과 같은 결과가 나타나는 균은 무엇인가?

① Citrobacter freundii

① Klebsiella pneumoniae

② Shigella sonnei

③ Salmonella typhi

④ Escherichia coli

## 56

다음 사진은 sorbitol MacConkey agar의 무색집락 모습이다. 어떤 균을 의심할 수 있는가?

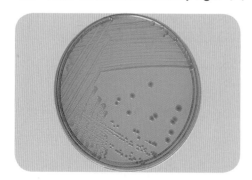

① Klebsiella pneumoniae

② Shigella sonnei

③ E. coli O157

④ Salmonella typhi

⑤ Serratia marcescens

## 57

다음 사진과 같은 현상을 보이며 Indole test에서 음성을 나타내는 세균은 무엇인가?

① Proteus vulgaris

② Proteus mirabilis

③ Shigella sonnei

④ Klebsiella pneumoniae

⑤ Klebsiella oxytoca

## 58

다음은 CIN 배지에서 자란 적색 집락의 모습으로 어떤 세균을 의심할 수 있는가?

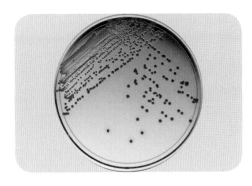

① Salmonellatyphi

② Escherichia coli

③ Klebsiella pneumoniae

④ Enterobacter aerogenes

⑤ Yersinia enterocolitica

## 59

다음 사진의 검사는 무엇을 확인하기 위한 검사인가?

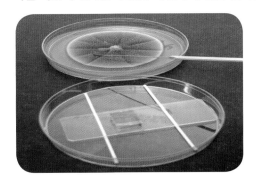

① 기생충

② 진균

③ 세균

④ 바이러스

⑤ 원충

## 60

다음 사진은 총알 모양의 바이러스로 어떤 질병과 연관 있는가?

① 일본뇌염
② 자궁경부암
③ 광견병
④ 풍진
⑤ 에이즈

## 61

다음 사진은 어떤 아메바의 포낭형인가?

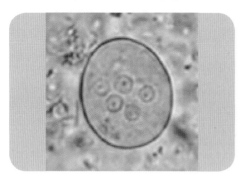

① 이질 아메바
② 왜소 아메바
③ 치은 아메바
④ 대장 아메바
⑤ 이핵 아메바

## 62

다음 사진은 어떤 기생충의 영양형인가?

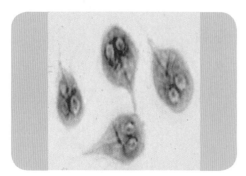

① 람불편모충
② 메닐편모충
③ 질편모충
④ 분선충
⑤ 선모충

# 63

다음 사진의 검사는 무엇인가?

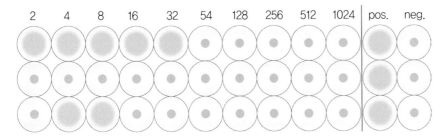

① ELISA
② RPHA
③ VDRL
④ RPR
⑤ ASLO

# 64

다음 사진의 기기에서 갖추어야 할 항목은 무엇인가?

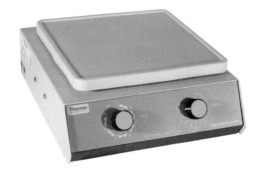

① RPM, Timer
② RPM, 온도계
③ Timer, 온도계
④ 직경측정, Timer
⑤ 속도조절, 온도계

# 65

다음 사진의 검사법은 무엇인가?

① IEP
② CLIA
③ SRID
④ RIA
⑤ Latex 응집법

Medical Laboratory Technologist

실전모의고사
(실기편)
5회

## 01

다음 사진은 포르말린 색소가 침착된 모습의 H&E 염색 사진으로 포르말린의 산성화를 근원적으로 방지하기 위해 필요한 중화제는 무엇인가?

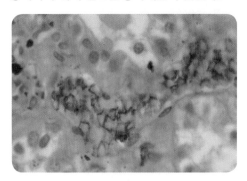

① Neutral buffered formalin

② Glutaraldehyde

③ Osmium tetroxide

④ Picric acid

⑤ Mercuric chloride

## 02

다음 사진의 기계와 관련된 것은 무엇인가?

① 면역형광염색

② 관류고정

③ 제자리부합법(in situ hybridization)의
   DNA 검출

④ 아교염색

⑤ 포르말린 고정

## 03

**다음 사진은 포매하는 사진으로 포매 전 전처리 과정 순서로 옳은 것은 무엇인가?**

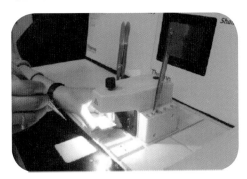

① 고정 → 수세 → 탈수

② 고정 → 탈수 → 수세

③ 수세 → 투명 → 탈수

④ 탈수 → 투명 → 침투

⑤ 투명 → 탈수 → 침투

## 04

**위의 기계로 포매할 때 사용되는 포매제는 무엇인가?**

① 파라핀        ② 셀로이딘

③ 에폭시수지        ④ 카보왁스

⑤ OCT 컴파운드

## 05

**아래 사진의 장기의 기본 절취 방법은 무엇인가?**

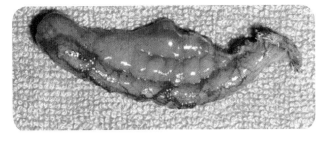

① 전방벽에서 T자형 또는 U자형으로 절개하여 고정한다.

② 대만부를 가위로 절개하고 코르크판에 잘 펴서 곤충핀으로 고정 후 고정액에 담근다.

③ 세분하여 각 엽과 잘록한 부분을 연속 절편하여 절취한다.

④ 피질, 수질, 신우가 동일 절편 나타나도록 조직편을 절취한다.

⑤ 중앙과 중앙 위쪽부근을 각각 1개씩 가로단면 조직을 절취하고, 끝부분의 1/3을 긴축에 평행하도록 세로단면 조직편을 절취한다.

## 06

다음 그림은 검체의 바늘 생검 조직 절취법을 나타낸 것으로 해당 검체는 무엇인가?

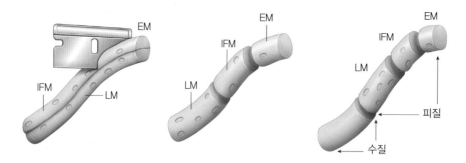

① 위장관
② 기관지
③ 간
④ 콩팥
⑤ 자궁목

## 07

다음 사진은 박절시에 나타난 현상으로 관련 있는 것은 무엇인가?

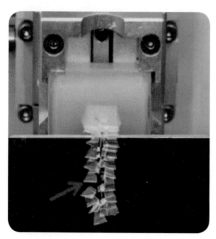

① 박절 속도가 너무 빠를 경우
② 박절 속도가 너무 느릴 경우
③ 칼날에 이물질이나 홈이 있는 경우
④ 칼날의 각도가 높을 경우
⑤ 박절 온도가 낮은 경우

## 08

다음 사진의 장기는 무엇인가?

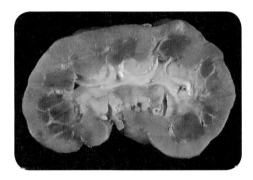

① 심장
② 갑상샘
③ 폐
④ 콩팥
⑤ 피부

## 09

다음 사진은 어떤 조직의 H&E 염색 결과이다. 어떠한 조직인가?

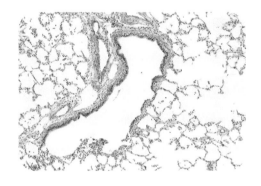

① 갑상샘
② 난소
③ 콩팥
④ 폐
⑤ 간

## 10

다음에서 보이는 상피조직에 해당하는 것은 무엇인가?

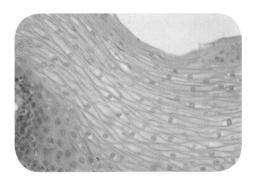

① 단층편평상피
② 중층편평상피
③ 거짓중층섬모원주상피
④ 이행상피
⑤ 단층원주상피

## 11

다음 사진은 근육조직의 H&E 염색 사진으로 확인할 수 있는 상피조직은 무엇인가?

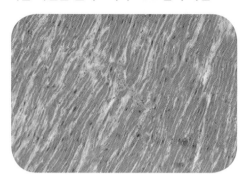

① 민무늬근(평활근)

② 내장근

③ 심장근

④ 뼈대근(골격근)

⑤ 가로무늬근(횡문근)

## 12

다음 부인과 검체를 채취하는 그림으로 무엇을 나타낸 것인가?

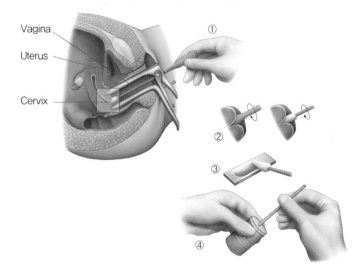

① 자궁목 도말법

② 질풀 도말법

③ 자궁속막 흡인도말법

④ VCE 슬라이드 도말법

⑤ 세포원심침전법

## 13

다음 사진은 Papanicolaou stain (파파니콜라우 염색) 과정으로 이 염색법의 올바른 순서는 무엇인가?

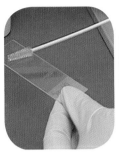  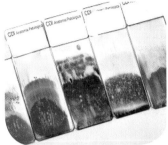

① 고정 → 탈수 → 세포질염색 → 핵염색 → 함수 → 투명 → 봉입

② 고정 → 함수 → 핵염색 → 세포질염색 → 탈수 → 투명 → 봉입

③ 고정 → 함수 → 세포질염색 → 핵염색 → 탈수 → 투명 → 봉입

④ 핵염색 → 세포질염색 → 고정 → 함수 → 탈수 → 투명 → 봉입

⑤ 세포질염색 → 핵염색 → 고정 → 탈수 → 투명 → 봉입

## 14

다음 사진에서 보이는 것은 무엇인가?

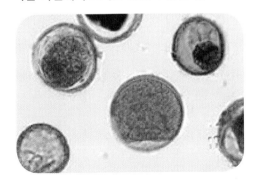

① 전분가루

② 정자

③ 꽃가루

④ 요충란

⑤ 알터나리아

## 15

다음 그림은 호르몬 지수 중 하나를 표시한 것이다. 무엇인가?

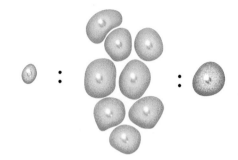

① MI

② KI

③ EI

④ CCI

⑤ FCI

## 16

다음 사진에서 보이는 세포는 무엇인가?

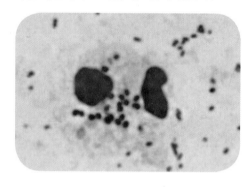

① Mycobacterium tuberculosis

② Gardnerella vaginalis

③ Neisseria gonorrhoeae

④ Candida albicans

⑤ Trichomocas vaginalis

## 17

다음 사진의 기구는 무엇인가?

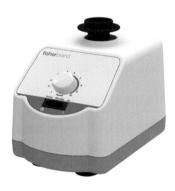

① Urinometer

② Centrifuge

③ Vortex mixer

④ pH meter

⑤ Osmometer

## 18

다음 사진의 기구는 무엇인가?

① Barometer

② Refractometer

③ pH meter

④ Osmometer

⑤ Centrifuge

## 19

다음 그림은 어떤 기계의 구조도로 측정 가능한 항목은 무엇인가?

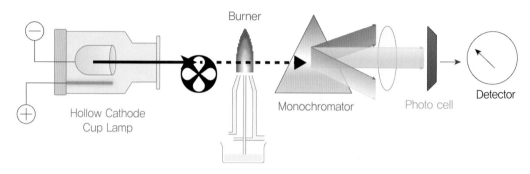

① Na

② Cl

③ Ca

④ Vitamin D

⑤ HbA1c

## 20

다음 그래프에서 어떤 항목이 높은가?

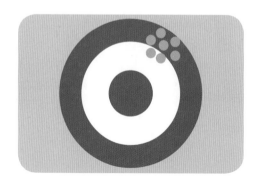

① 정확도

② 특이도

③ 재현성

④ 신뢰도

⑤ 관리도

## 21

다음은 정규분포곡선으로 ±2SD를 벗어나는 경우는 몇 %인가?

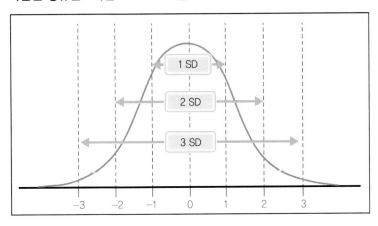

① 99.7%

② 95.5%

③ 68.3%

④ 31.7%

⑤ 4.5%

## 22

다음 그래프에서 동그라미 친 부분의 상태가 발생한 원인은 무엇인가?

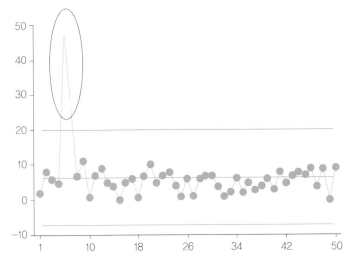

① 기술 미숙

② 시약 오염

③ Calibration 불량

④ 항온조온도 상승

⑤ 항온조온도 하강

## 23

검사법 중 다음 사진의 종말색과 같은 색을 보이지 <u>않는</u> 것은 어느 것인가?

① Kind-King 반응

② Hantzsch 반응

③ Acetylacetonen법

④ Diacetylmonoxime법

⑤ Orlowski법

## 24

다음은 어떠한 물질을 Titan yellow법을 이용한 종말색으로 측정 물질은 무엇인가?

① Calcium

② Chloride

③ Magnesium

④ Protein

⑤ Glucose

## 25

다음은 요침사 사진이다. 무엇이 관찰되는가?

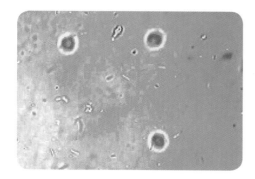

① 효모

② WBC원주

③ 트리코모나스

④ Uric acid

⑤ Calcium oxalate

## 26

다음은 요침사에서 보이는 결정체로 요결석의 원인이기도 한 이것은 무엇인가?

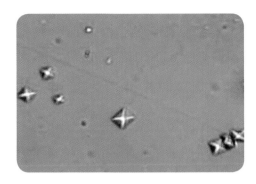

① Calcium oxalate

② Calcium carbonate

③ Uric acid

④ Cysteine

⑤ Leucine

## 27

다음 그림은 어떤 의미의 표시인가?

① 가연성 물질 표시

② 방사성 동위원소 취급표시

③ 발암물질 위험표시

④ 생물학적 위험표지

⑤ 유해물질 취급표시

## 28

다음은 요의 Addis count시 사용되는 urine container로 Addis count와 관련하여 옳지 않은 설명은 무엇인가?

① 방부제는 10% formalin을 사용한다.

② 세포성분 수를 검사하는 방법이다.

③ 요의 비중을 count하는 방법이다.

④ 요는 12시간 요를 사용한다.

⑤ 요의 p H는 6.0 이하가 이상적이다.

## 29

다음은 요시험지 검사 과정의 하나로 어떤 목적으로 다음 과정이 필요한가?

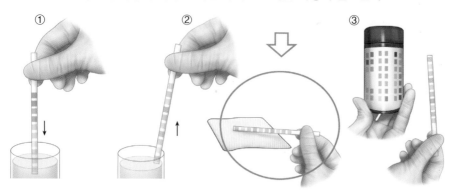

① 발색 시간 조절　　　　　② 시험지 판독

③ 시험지 건조　　　　　　④ 과잉 요 제거

⑤ 습도 확인

## 30

다음은 요단백 측정법 중 하나인 sulfosalicylic acid 정성 검사 이다. 이 검사로 측정 가능한 항목은 무엇인가?

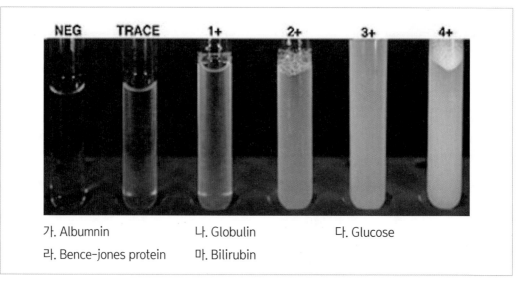

가. Albumnin　　　　　나. Globulin　　　　　다. Glucose

라. Bence-jones protein　　마. Bilirubin

① 가, 나, 다　　　　　　② 나, 다, 라

③ 다, 라, 마　　　　　　④ 가, 나, 라

⑤ 나, 라, 마

## 31

다음 사진은 요당의 정성검사법 중 하나로 무엇인가?

① Almen nylander법

② Phenylhydrazine법

③ Benedict법

④ Kingsbury-clark법

⑤ Esbach법

## 32

다음 사진은 요 중Bilirubin 검사법으로 무엇인가?

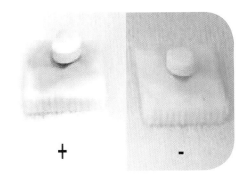

① Oliver법

② Rosin법

③ Form법

④ Gmelin법

⑤ Ictotest법

# 혈액학검사

## 33

**다음 사진의 세포에 관한 설명으로 옳지 <u>않은</u> 것은 무엇인가?**

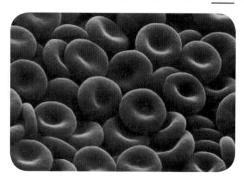

① 평균 수명은 30일이다.

② 무핵세포이다.

③ 표면적이 넓어서 가스교환에 효율적이다.

④ 직경이 평균 6~8㎛ 이다.

⑤ 전체 혈액량의 약 45%를 차지한다.

## 34

**위의 사진의 세포가 붉게 보이는 이유는 무엇 때문인가?**

① 피브리노겐                       ② 빌리루빈

③ 헤모글로빈                       ④ 섬유소원

⑤ 백혈구

## 35

**다음 사진에서 보이는 세포는 무엇인가?**

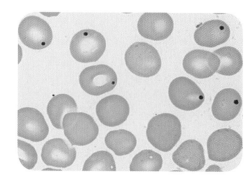

① Cabot ring

② Heinz bodies

③ Howell-Jolly bodies

④ Pappenheimer bodies

⑤ Basophilic-stippling

# 36

**다음 사진에서 보이는 세포의 특징으로 옳은 것은 무엇인가?**

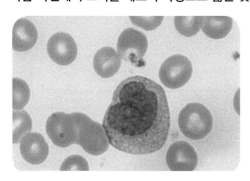

① 백혈구 중 가장 크다.
② 세포질의 색은 선홍색이다.
③ 건강한 성인은 백혈구의 2% 미만으로 관찰 가능하다.
④ 무핵 세포이다.
⑤ 수명은 24시간이다.

# 37

**다음 중 건강한 성인의 말초혈액 속에 가장 많은 분포를 차지하는 백혈구는 무엇인가?**

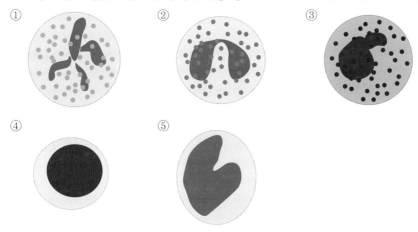

# 38

**다음 세포와 관련된 질병은 무엇인가?**

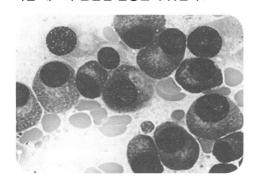

① 백혈병
② 다발성골수종
③ 지중해성빈혈
④ DIC
⑤ Gaucher's disease

## 39

다음 사진의 세포는 무엇인가?

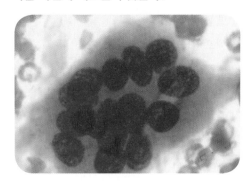

① Rieder cell

② Russell body

③ Osteoclast

④ Hairy cell

⑤ Atypical lymphocyte

## 40

다음 사진에서 발생하는 현상은 어떠한 질병에서 관찰할 수 있는가?

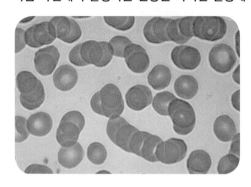

① 악성빈혈

② 유백혈병

③ 다발성골수종

④ 비장종대

⑤ 한랭응집소를 가지고 있는 환자

## 41

다음 사진의 기계는 무엇을 측정하기 위한 것인가?

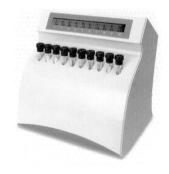

① 당화혈색소 농도

② 적혈구용적률

③ 혈소판 계수

④ 적혈구 침강속도

⑤ 백혈구백분율

## 42

다음 사진의 검사 결과지와 관련된 혈액 튜브는 무엇인가?

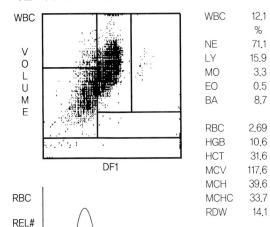

| WBC | 12.1 | H | | |
| --- | --- | --- | --- | --- |
| | % | | # | |
| NE | 71.1 | H | 8.5 | H |
| LY | 15.9 | L | 1.9 | |
| MO | 3.3 | | 0.5 | |
| EO | 0.5 | L | 0.1 | |
| BA | 8.7 | H | 1.1 | H |
| | | | | |
| RBC | 2.69 | L | | |
| HGB | 10.6 | L | | |
| HCT | 31.6 | L | | |
| MCV | 117.6 | ll | | |
| MCH | 39.6 | H | | |
| MCHC | 33.7 | | | |
| RDW | 14.1 | | | |
| | | | | |
| PLT | 578 | H | | |
| MPV | 7.2 | L | | |

① EDTA tube

② SST tube

③ Sodium citrate tube

④ NaF tube

⑤ Plain tube

## 43

다음 그림은 채혈백의 색상에 따른 혈액형을 표시한 것으로 AB혈액형은 무슨 색상을 나타내는가?

| Yellow | Red | | Blue |
| --- | --- | --- | --- |
| A형 | B형 | AB형 | O형 |

① Green color

② Violet color

③ Orange color

④ Black color

⑤ White color

## 44

다음 중 긴급 상황시 혈액형과 상관없이 수혈할 수 있는 혈액형은 무엇인가?

| | Anti −A | Anti− B | Anti− D |
|---|---|---|---|
| ① | | | |
| ② | | | |
| ③ | | | |
| ④ | | | |
| ⑤ | | | |

## 45

다음 표시는 효율적인 혈액관리를 위한 것으로 정확한 명칭은 무엇인가?

**MSBOS**

① 최소 혈액신청량

② 최대 혈액신청량

③ 최소 혈액반환량

④ 최대 혈액반환량

⑤ 최적 혈액신청량

# 46

위의 시스템에서 C/T ratio로 최대 가능한 비율은 얼마인가?

① 1:1

② 1:2

③ 2:1

④ 2.5:1

⑤ 1:2.5

# 47

다음의 채혈백에 들어있는 CPDA-1 항응고제양은 얼마인가?

① 14 ml

② 28 ml

③ 32 ml

④ 45 ml

⑤ 56 ml

# 48

다음 사진의 기계는 무엇인가?

① 혈액 혼합기

② 혈소판분리기

③ 혈액량 측정기

④ 적혈구 용적률 측정기

⑤ 채혈준비기

# 5회

# 임상미생물검사

## 49

다음 사진의 멸균법은 무엇인가?

① 화염멸균
② 자외선멸균
③ 건열멸균
④ 고압증기멸균
⑤ 여과멸균

## 50

다음은 catalase test로 이 검사에서 사용하는 시약은 무엇인가?

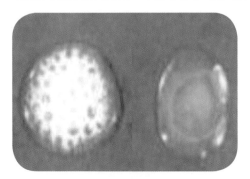

① 1% HCl
② 1% $H_2O_2$
③ 3% NaOH
④ 3% NaCl
⑤ 3% $H_2O_2$

## 51

다음 사진의 검사에서 양성을 보이는 것은 무엇인가?

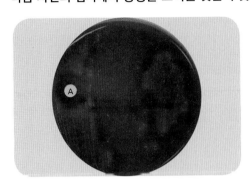

① Streptococcus pneumoniae

② Streptococcus pyogenes

③ Staphylococcus aureus

④ Viridans streptococcus

⑤ Enterococcus faecalis

## 52

다음 사진은 남성의 비뇨기계통에서 채취한 검체를 그람 염색한 것이다. 관련있는 배지는 무엇인가?

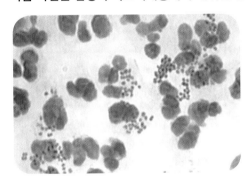

① Nutrient agar

② BAP agar

③ Thayer-martin agar

④ Ogawa agar

⑤ MacConkey agar

## 53

다음은 항생제 감수성 시험으로 어떤 균을 진단할 때 사용하는 방법인가?

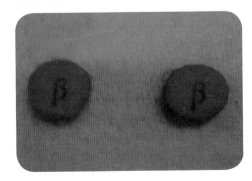

① Streptococcus pneumoniae

② Mycobacterium tuberculosis

③ Corynebacterium diphtheriae

④ Neisseria gonorrhoeae

⑤ Neisseria meningitides

## 54

다음 사진은 Shigella sonnei에서 양성을 보이는 시험으로 무엇인가?

① Methyl red test

② Indole test

③ Citrate test

④ ONPG test

⑤ Urease test

## 55

다음은 IMViC test 결과이다. 사진과 같은 결과를 보이는 세균은 무엇인가?

① Salmonella typhi

② Shigella sonnei

③ Citrobacter freundii

④ Escherichia coli

⑤ Klebsiella pneumoniae

## 56

다음은 Vibrio cholera 균을 배양한 집락의 모습으로 어떤 배지를 나타낸 것인가?

① PEA 배지

② BAP 배지

③ TCBS 배지

④ MacConkey 배지

⑤ XLD 배지

## 57

다음 사진은 어떤 균을 분주하고 0.5% sodium desoxycholate 시약을 혼합하여 검사한 것으로 어떤 균에서 나타나는가?

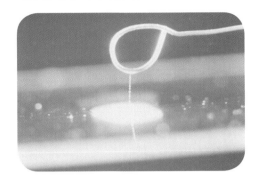

① Salmonella typhi

② Vibrio cholera

③ Enterobacter aerogenes

④ Aeromonas

⑤ Plesimonas

## 58

다음은 BAP 배지에서 배양된 세균 집락의 모습으로 어떤 세균을 의심할 수 있는가?

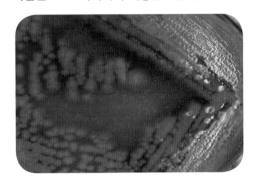

① Pseudomonas aeruginosa

② Clostridium perfringens

③ Mycobacterium leprae

④ Listeria monocytogenes

⑤ Neisseria gonorrhoeae

## 59

다음 사진의 진균은 무엇인가?

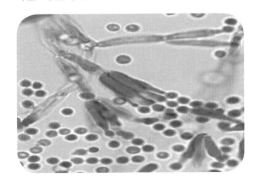

① Aspergillus

② Penicillium

③ Cryptococcus neoformans

④ Candida albicans

⑤ Rhizopus

## 60

다음은 올빼미 눈 모양의 봉입체가 관찰되는 바이러스로 무엇인가?

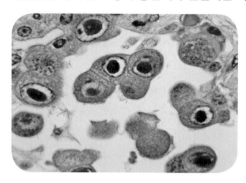

① Poxvirus

② Herpes virus

③ Epstein – barr virus

④ Rotavirus

⑤ Cytomegalovirus

## 61

다음 사진은 어떤 기생충의 충란인가?

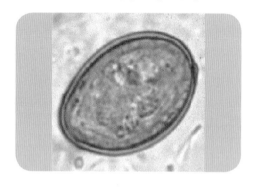

① 간흡충

② 요꼬가와흡충

③ 폐흡충

④ 일본주혈흡충

⑤ 만손주혈흡충

## 62

다음 사진은 어떤 기생충의 충란인가?

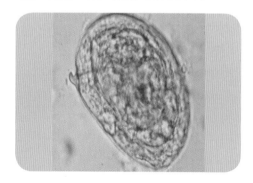

① 만손주혈흡충

② 일본주혈흡충

③ 방광주혈흡충

④ 광절열두조충

⑤ 쥐조충

# 63

다음 slide는 VDRL 검사에서 주로 사용되는 것으로 직경은 얼마인가?

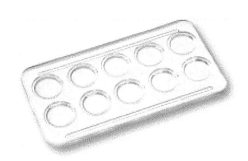

① 7 mm

② 10 mm

③ 12 mm

④ 14 mm

⑤ 17 mm

# 64

다음은 HLA 항원 검사를 시행할 때 Ficoll-Hypaque 용액을 이용하여 세포를 분리하는 방법으로 화살표가 가리키는 세포는 무엇인가?

① RBC

② WBC

③ Plasma

④ PBMCs

⑤ Granulocytes

# 65

다음은 어떤 검사에 관한 도식화된 그림인가?

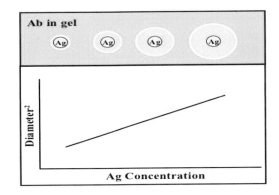

① IEP

② SRID

③ APC

④ RIA

⑤ EIA

Medical Laboratory Technologist

실전모의고사
(실기편)
6회

# 조직·세포병리검사

## 01

다음 사진은 포매법 중 어떤 방법과 관련이 있는가?

 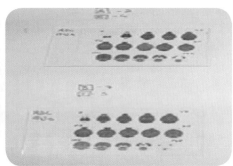

① 파라핀 포매

② 셀로이딘 포매

③ 합성수지 포매

④ 카보왁스 포매

⑤ MMA 포매

## 02

위의 사진의 포매법으로 포매 가능한 검체는 무엇인가?

① 피부 생검 조직

② 동맥

③ 담낭

④ 대뇌 반구

⑤ 폐조직

## 03
다음 사진의 기계는 무엇인가?

① 자동조직미세배열기
② 자동연마기
③ 신전기
④ 회전식 박절기
⑤ 조직침투기

## 04
다음 사진은 박절기의 박절용 칼을 설치 중인 것으로 틈의각과 경사각은 각각 얼마가 이상적인가?

① 틈의각: 7°, 경사각: 15°
② 틈의각: 7°, 경사각: 27°~32°
③ 틈의각: 15°, 경사각: 27°~32°
④ 틈의각: 15°, 경사각각: 90°
⑤ 틈의각: 30°, 경사각: 15°

## 05

다음 사진은 조직을 포매중인 사진으로 포매 방향에 대한 설명이 옳지 <u>않은</u> 것은 무엇인가?

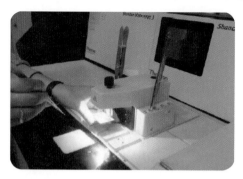

① 대부분의 조직은 병소 부위를 하향하여 포매한다.

② 위장관 조직은 4층 구조가 다 나오도록 포매한다.

③ 뼈 같은 딱딱한 조직은 비스듬히 포매한다.

④ 낭포형 조직은 공기 주머니가 생기지 않도록 포매한다.

⑤ 관상형 조직은 벽과 내강이 나오지 않도록 세로면으로 포매한다.

## 06

다음 염색은 탄력섬유 염색에 가장 많이 사용되는 것으로 무슨 염색인가?

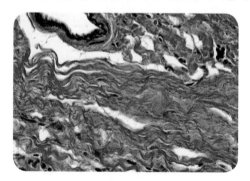

① Unna orcein stain

② Gomori aldehyde fuchsin stain

③ Victoria blue stain

④ Verhoeff iron hematoxylin stain

⑤ Weigert resorcin fuchsin stain

## 07

**다음 염색은 섬유소 염색법으로 섬유소는 어떤 색으로 염색되는가?**

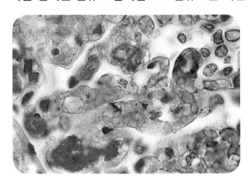

① 적색

② 황색

③ 청색

④ 흑색

⑤ 흰색

## 08

**다음 사진의 세포에서 확인할 수 있는 세포의 상태는 어떠한가?**

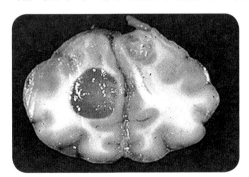

① 응고괴사

② 액화괴사

③ 지방괴사

④ 건락괴사

⑤ 섬유소성괴사

## 09

다음 사진은 염색체 유사분열의 모습으로 염색체의 형태관찰에 가장 좋은 시기는 언제인가?

Interphase

Prophase

Prometaphase

Metaphase

Anaphase

Telophase

Cytokinesis

① 간기
② 전기
③ 중기
④ 후기
⑤ 말기

## 10

다음은 H&E 염색 사진으로 어떤 장기인가?

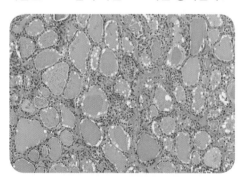

① 폐
② 갑상샘
③ 난소
④ 고환
⑤ 자궁

## 11

다음은 H&E 염색 사진으로 어떤 장기인가?

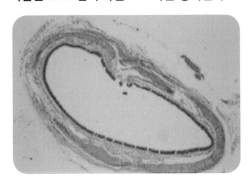

① 갑상샘
② 기관지
③ 이자(췌장)
④ 콩팥
⑤ 간

## 12

다음 사진의 슬라이드와 관련된 설명으로 옳은 것은 무엇인가?

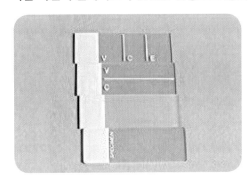

① 질 – 자궁목 – 자궁속목의 3조합
　 도말법이다.
② 자궁속막 흡인도말법이라고 한다.
③ 채취부터 도말까지의 시간이 신속하다.
④ 총 4개 부위를 도말한다.
⑤ 비부인과 검사에 해당한다.

## 13

다음 사진은 객담 검체의 용기로 언제 채취하는 것이 바람직한가?

① 잠자기 전
② 아침 기상 후 즉시
③ 아침식사 후 2시간 지나고
④ 새벽시간
⑤ 언제 채취하든지 상관없다

## 14

다음에서 보이는 세포는 어느 시기에 관찰이 가능한가?

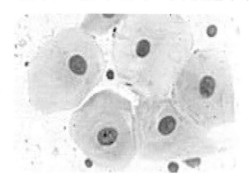

① 임신기
② 월경기
③ 배란기
④ 사춘기 전
⑤ 폐경 후기

## 15

다음 세포에서 관찰 할 수 있는 것은 무엇인가?

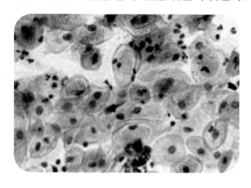

① Glucose
② Glycogen
③ Glucagon
④ Barr body
⑤ Pollen

## 16

다음 사진의 세포는 이형성증 단계 중 어떤 단계의 상태를 나타낸 것인가?

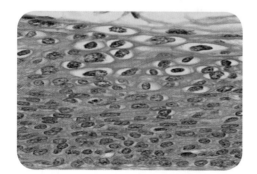

① Mild dysplasia
② Moderate dysplasia
③ Severe dysplasia
④ Carcinoma in situ
⑤ CIN3

# 임상화학검사

## 17

다음 사진의 기구는 무엇인가?

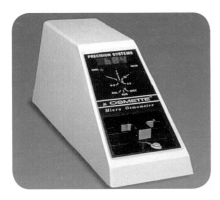

① Osmometer

② pH meter

③ Spectrophotometer

④ Urinometer

⑤ Refractometer

## 18

다음 사진의 기구는 무엇을 측정하는데 사용하는 것인가?

① Glucose

② HbA1c

③ Lipid

④ Cholesterol

⑤ Platelet

## 19

다음 사진의 cuvette에 유색 용액을 넣어 광을 통과시킬 때 표준 길이는 얼마인가?

① 0.1 mm

② 1 mm

③ 5 mm

④ 10 mm

⑤ 10 cm

## 20

다음은 염광광도계의 구조도이다. 이 기계로 측정 가능한 항목이 <u>아닌</u> 것은 무엇인가?

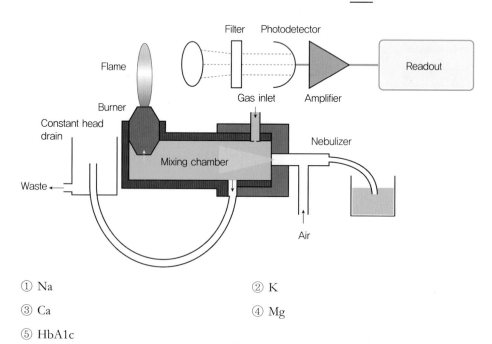

① Na

② K

③ Ca

④ Mg

⑤ HbA1c

## 21

다음은 정규분포곡선으로 1번에 해당하는 확률은 전체의 몇 %인가?

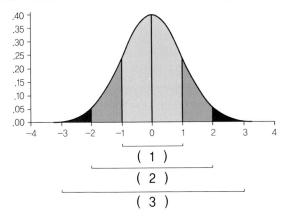

① 99.7%   ② 95.5%   ③ 68.3%   ④ 31.7%   ⑤ 4.5%

## 22

다음 사진의 단백질 전기영동상과 관련된 것은 무엇인가?

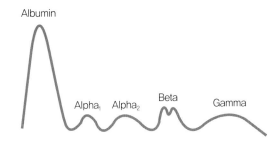

① 심부전증
② 다발성 골수종
③ 정상인
④ 간경화
⑤ 위암말기

## 23

다음 검사법 중 아래 사진의 종말색으로 나오지 <u>않는</u> 측정법은 무엇인가?

① Fiske subbarow 법
② Benedict 반응
③ Zimmerman 반응
④ Kiliani 반응
⑤ Alkaline picrate

## 24

다음은 요침사에서 관찰가능 한 정상 결정체로 무엇인가?

① Bilirubin

② Uric acid

③ Triple phosphate

④ Amorphous phosphate

⑤ Sodium urate

## 25

다음은 요침사에서 관찰 가능한 지붕 모양의 결정으로 무엇인가?

① Leucine

② Bilirubin

③ Hemosiderin

④ Triple phosphate

⑤ Calcium phosphate

## 26

안전표시이다. 옳은 것은 무엇인가?

① 가연성 물질마크

② 부식성 물질마크

③ 발연성 물질마크

④ 발암성 물질마크

⑤ 인화성 물질마크

## 27

다음 사진은 요 중에 어떤 물질을 확인하는 방법인가?

① Protein

② Glucose

③ Bilirubin

④ Ketone body

⑤ Mucopolysaccharide

## 28

다음 요침사 사진에서 화살표가 가리키는 것은 무엇인가?

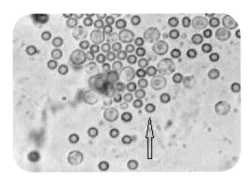

① RBC

② WBC

③ Bacteria

④ Yeast

⑤ Cystine

## 29

다음은 요침사 사진으로 관련된 것은 무엇인가?

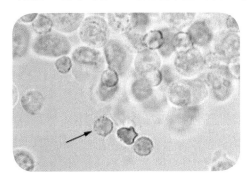

① RBC

② WBC

③ Protein

④ Trichomonas

⑤ Bilirubin

## 30

다음은 요의 urobilinogen의 측정법 중 하나로 어떤 방법인가?

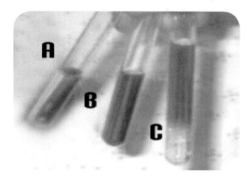

① Enrlich aldehyde법

② Schwartz-watson법

③ Wallace-Diamond법

④ Naunnam법

⑤ Schlesinger법

## 31

다은 사진은 요의 난원형 지방체의 모습이다. 어떤 현미경적 검사로 확정하는가?

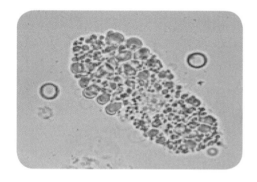

① 위상차현미경

② 형광현미경

③ 광학현미경

④ 편광현미경

⑤ 전자현미경

## 32

다음 요침사의 사진은 혈철소 감별을 위하여 염색한 것으로 어떤 염색법을 사용한 것인가?

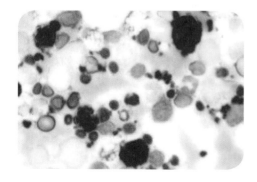

① Prussian blue stain

② oil red o stain

③ Sudan Black B stain

④ Fontana Masson's stain

⑤ Safrani 0 stain

# 혈액학검사

## 33

다음 사진에서 중앙부의 얇게 염색된 부위를 무엇이라고 부르는가?

① Cabot ring

② Central pallor

③ Reticulocyte

④ Spherocyte

⑤ Target cell

## 34

다음 사진의 모습이 관찰 가능한 질병은 무엇인가?

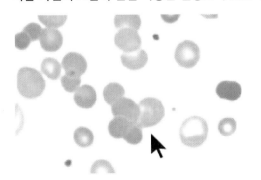

① 말라리아 감염

② 마이코플라즈마 감염

③ 독감

④ 지중해성빈혈

⑤ 이상단백질 증가

## 35

위의 사진에서 응집된 적혈구를 해리하려면 혈액을 몇 °C 에 놓아두어야 하는가?

① −20°C      ② −4°C      ③ 4°C      ④ 20°C      ⑤ 37°C

## 36

다음 사진에서 보이는 세포는 무엇인가?

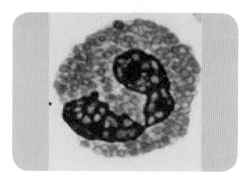

① 호중구
② 호산구
③ 호염기구
④ 단구
⑤ 림프구

## 37

다음 사진에서 보이는 세포에 관한 설명으로 옳지 <u>않은</u> 것은 무엇인가?

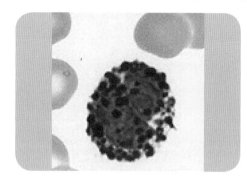

① 세포질은 암청색의 과립이다.
② 핵의 형태가 불분명하다.
③ 과립이 수용성이다.
④ 말초혈액에 분포하며 정상 성인 백혈구의 약 15%를 차지한다.
⑤ 호염기구이다.

## 38

다음 사진의 세포와 관련된 질병은 무엇인가?

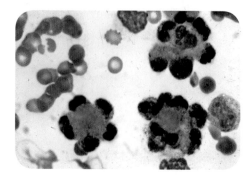

① 거대적혈모세백혈병
② 전신성 홍반 낭창증
③ 백혈병
④ 후천성면역결핍증후군
⑤ 다발성골수종

# 39

다음 사진에서 보이는 세포는 무엇인가?

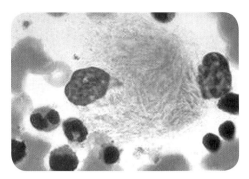

① Gaucher cell

② Foamy cell

③ LE cell

④ Hairy cell

⑤ Sickle cell

# 40

다음은 Niemann-Pick desease에서 관찰 가능한 세포로 무엇인가?

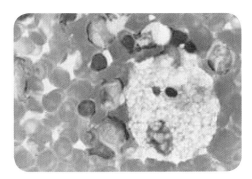

① Smudge cell

② Sezary cell

③ Hairy cell

④ Gaucher cell

⑤ Foamy cell

# 41

다음 사진의 검사 결과지와 관련 있는 혈액 튜브는 무엇인가?

| | Partial Thromboplastin Time (PTT) | Prothrombin Time (PT) | Prothrombin INR (PT INR) |
|---|---|---|---|
| Normal Ranges | 23.0~32.5 Seconds | 9.5~12.8 Secs | 0.8~1.3 |
| 11/12/18 | 21.4 Seconds | 10.2 Secs | 1.0 |
| 07/09/18 | 26.3 Seconds | 11.1 Secs | 1.0 |
| 03/12/18 | 23.2 Seconds | 12.1 Secs | 1.0 |
| 11/13/17 | 26.8 Seconds | 11.3 Secs | 1.1 |
| 10/16/17 | 23.1 Seconds | 11.4 Secs | 1.0 |
| 10/02/17 | 25.9 Seconds | 11.2 Secs | 1.1 |
| 09/18/17 | 17.1 Seconds | 10.6 Secs | 1.0 |

① Blood culture tube  ② SST tube

③ Sodium citrate tube  ④ EDTA tube

⑤ Heparin tube

## 42

다음 사진은 혈색소 전기영동의 사진으로 가장 빠른 혈색소는 무엇인가?

Hb electrophoresis

OriginHbA2      HbF HbA

① Hb A

② Hb F

③ Hb S

④ Hb A2

⑤ Hb C

## 43

다음 사진의 기계는 표면 온도를 몇 도로 유지해야 하는가?

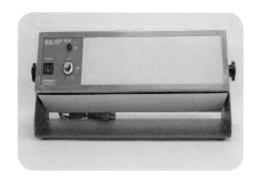

① −4°C

② 0~4°C

③ 27°C

④ 37°C

⑤ 45°C

## 44

위의 기기는 어떠한 검사시에 사용하는가?

① ABO 혈구형 혈액형 검사

② ABO 혈청형 혈액형 검사

③ Rh형 슬라이드법 검사

④ HLA형 검사

⑤ 불규칙항체 동정검사

## 45

다음 혈액제제의 저장 온도는?

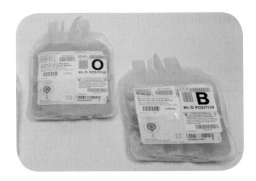

① −20°C 이하의 냉동고
② −18°C 이하의 냉동고
③ −4°C의 냉동고
④ 20∼24°C 실온
⑤ 37°C 해동기

## 46

다음 사진의 혈액제제에 관한 설명으로 옳지 <u>않은</u> 것은?

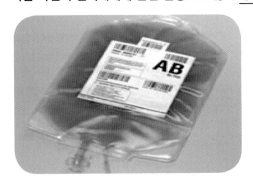

① 저장온도는 1∼6°C로 냉장보관이다.
② 제조 후 5일간 보관이 가능하다.
③ 삼중백으로 헌혈 받아야 한다.
④ 전혈로부터 4시간 이내에 분리해야
  한다.
⑤ 혈소판 기능장애로 인한 출혈시에
  사용된다.

## 47

다음 사진은 ABO 혈청형 tube법 검사 결과로 혈액형은 무엇인가?

① A형
② B형
③ AB형
④ O형
⑤ 혈액형 불일치

## 48

다음 사진은 ABO 혈구형 tube법 검사결과로 혈액형은 무엇인가?

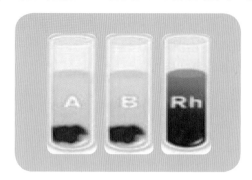

① Rh− O형

② Rh+ O형

③ Rh− B형

④ Rh+ AB형

⑤ Rh− AB형

## 49

다음 사진의 멸균법에 대한 설명이 <u>아닌</u> 것은 무엇인가?

① 160~180℃에서 1~2시간 동안 처리한다.

② 건열멸균법이다.

③ 미생물과 아포를 완전 멸균시킨다.

④ 금속기구, 유리기구, 페트리 접시 등을 멸균시킨다.

⑤ 100℃에서 30~60분간 멸균하며 하루에 한번씩 연속 3일 시행한다.

## 50

다음은 India ink stain 결과로 추정할 수 있는 진균은 무엇인가?

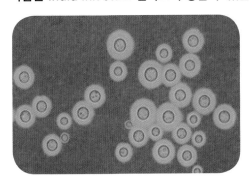

① Sporothrix schenkii

② Blastomyces dermatitidis

③ Candida albicans

④ Cryptococcus neoformans

⑤ Histoplsma capsulatum

## 51

다음은 Staphylococcus와 Streptococcus를 구분하는 방법으로 무엇인가?

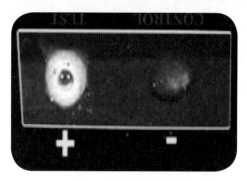

① Catalase test

② Coagulase test

③ Indole test

④ Optochin test

⑤ Bacitracin test

## 52

다음 사진은 어떤 검사를 나타낸 것인가?

① Optochin disk

② Bacitracin disk

③ Gelatinase test

④ CAMP test

⑤ DNase test

## 53

다음 사진의 검사법은 무엇인가?

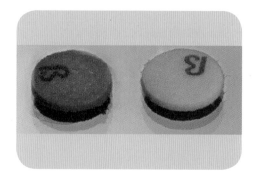

① PPNG test

② CTA test

③ β-lactamase test

④ α-lactamase test

⑤ ONPG test

## 54

다음 사진은 그람양성 막대균의 이염소체를 염색한 사진으로 어떤 균이 관찰되는가?

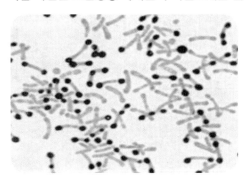

① Salmonella typhi

② Corynebacterium diphtheriae

③ Listeria monocytogenes

④ Mycobacterium tuberculosis

⑤ Actinomyces Israelii

## 55

다음 사진은 난황 한천배지에서 24시간 발육하면 집락 주변에 희게 혼탁한 유백색의 띠를 형성하는 세균의 모습으로 무엇인가?

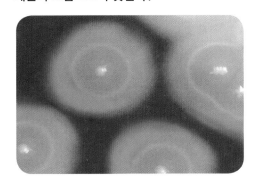

① Salmonella typhi

② Clostridium perfringens

③ Citrobacter freundii

④ Escherichia coli

⑤ Klebsiella pneumoniae

## 56

다음은 bismuth sulfite 배지에서 배양한 세균 집락의 모습으로 무엇인가?

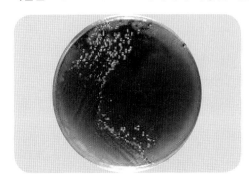

① Listeria cytogenes

② Enterobacter aerogenes

③ Citrobacter freundii

④ Salmonella typhi

⑤ Serratia marcescens

## 57

다음은 TCBS 배지에서 세균을 배양한 결과로 어떤 세균을 의심할 수 있는가?

① Pseudomonas aeroginosa

② Clostridium tetani

③ Vibrio parahaemolyticus

④ Vibrio cholera

⑤ Vibrio vulnificus

## 58

다음은 Vibrio 균속의 선별 시험으로 무엇인가?

① Negler test

② CAMP test

③ De test

④ String test

⑤ Cholera red test

## 59

다음 사진의 진균은 무엇인가?

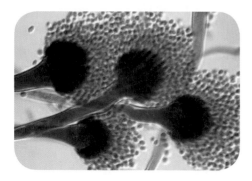

① Aspergillus

② Penicillium

③ Cryptococcus neoformans

④ Candida albicans

⑤ Rhizopus

## 60

다음은 Rotavirus의 모습이다. 이 바이러스의 진단은 무엇으로 하는가?

① Cell culture

② DNA assay

③ PCR

④ ELISA

⑤ 혈구부착시험법

## 61

다음 사진은 어떤 기생충의 충란인가?

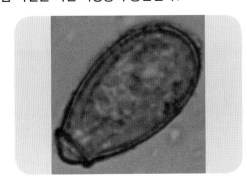

① 간흡충

② 요꼬가와흡충

③ 폐흡충

④ 일본주혈흡충

⑤ 만손주혈흡충

## 62

다음은 기생충 검사법의 종류 중 어떤 검사법을 나타낸 것인가?

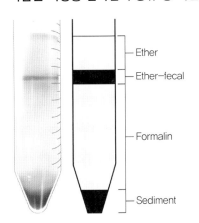

① 포화식염수 부유법

② 셀로판 후층 도말법

③ MGL 법

④ EPG 법

⑤ A.M.S h법

## 63

다음 사진과 관련 있는 검사는 무엇인가?

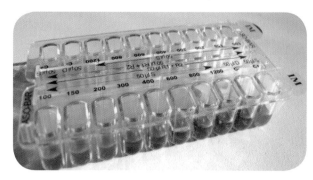

① Latex 응집반응

② ELISA

③ HLA

④ ASO

⑤ VDRL

## 64

다음 그림의 항체는 무엇인가?

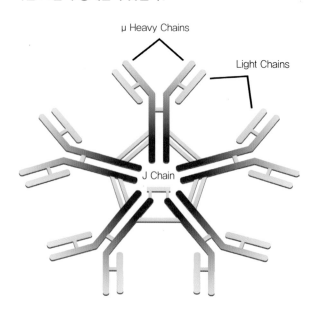

① Ig G

② Ig A

③ Ig M

④ Ig D

⑤ Ig E

# 65

다음은 어떤 검사를 도식화한 그림인가?

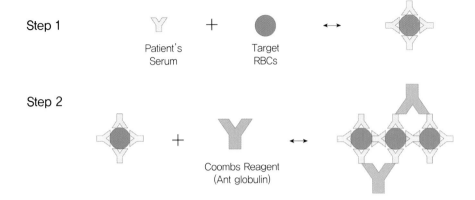

Step 1  Patient's Serum  +  Target RBCs

Step 2  +  Coombs Reagent (Ant globulin)

① RPR test

② EIA test

③ Cross matching

④ Direct coomb's test

⑤ Indirect coomb's test

Medical Laboratory Technologist

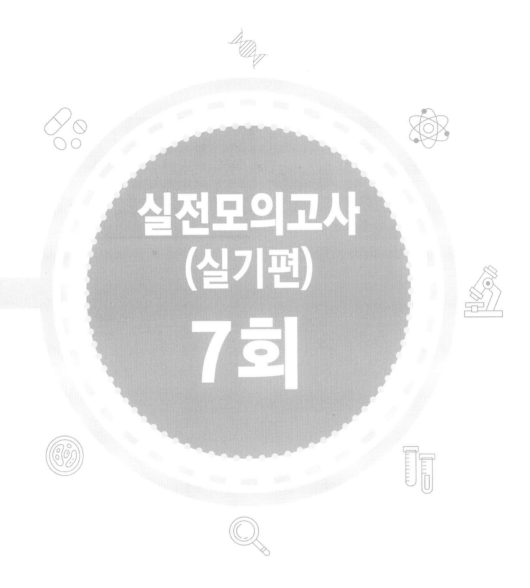

실전모의고사
(실기편)
7회

# 조직 · 세포병리검사

## 01

다음 사진은 무엇과 관련이 있는가?

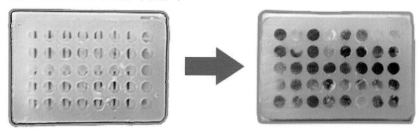

① 파라핀 포매
② 카보왁스 포매
③ MMA
④ TMA
⑤ GMA

## 02

다음 박절기의 특징이 <u>아닌</u> 것은 무엇인가?

① 연속절편 가능하다.
② 셀로이딘 블록의 박절에 효과적이다.
③ 블록 재물대가 고정되어 있고 칼
   고정대가 활주로 위를 왕복 운동 한다.
④ 다량의 검체를 얻기 어렵다.
⑤ 상대적으로 더 얇은 절편의 제작이
   가능하다.

## 03

다음 사진의 기기는 박절에 필요한 기기로 몇 °C를 유지해야 하는가?

① 4°C

② 10~15°C

③ 20~25°C

④ 35~40°C

⑤ 45~50°C

## 04

다음 사진의 기계와 관련 있는 것은 무엇인가?

① 염색

② 고정

③ 투명

④ 포매

⑤ 봉입

## 05

다음은 아교섬유 염색으로 염색 전에 사용하게 되는 매염제는 무엇인가?

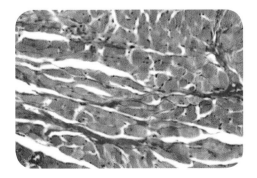

① Helly solution

② B-5 solution

③ Bouin solution

④ Zenker solution

⑤ Orth solution

## 06

다음 염색에서 흑색으로 염색된 부분은 무엇인가?

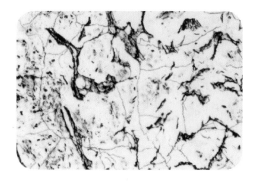

① 아교섬유
② 그물섬유
③ 탄력섬유
④ 지질
⑤ 진균

## 07

다음 사진은 Congo red 염색 사진으로 어떤 현미경에서 관찰한 것인가?

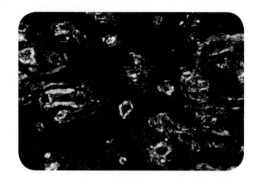

① 광학현미경
② 편광현미경
③ 위상차현미경
④ 투과전자현미경
⑤ 공초점레이저현미경

## 08

다음 사진의 장기에서 관찰 가능한 상태는 무엇인가?

① 허혈
② 출혈
③ 울혈
④ 충혈
⑤ 경색

## 09

다음 사진은 염색체 검사 결과이다. 확인할 수 있는 질환은 무엇인가?

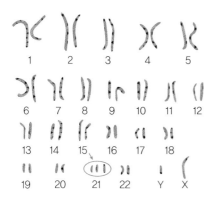

① 다운 증후군

② 터너 증후군

③ 에드워드 증후군

④ 클라인펠터 증후군

⑤ 파타우 증후군

## 10

다음 사진은 큰창자의 모습으로 추정할 수 있는 질병은 무엇인가?

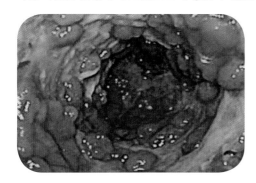

① 장폐색

② 허혈성 장염

③ 크론병

④ 충수돌기염

⑤ 게실염

## 11

다음은 큰창자의 H&E 염색 사진으로 화살표가 가리키는 세포는 무엇인가?

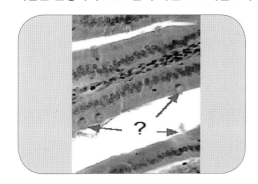

① 목점액세포

② 파네트세포

③ 비만세포

④ 술잔세포

⑤ 형질세포

## 12

다음 사진의 세포를 관찰할 수 있는 시기가 <u>아닌</u> 것은?

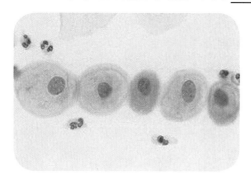

① 폐경후기
② 수유기
③ 상피의 위축
④ 월경기
⑤ 사춘기 전

## 13

다음 사진에서 보이는 것은 무엇인가?

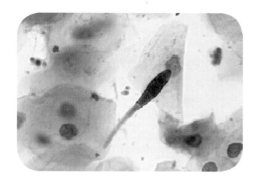

① 꽃가루
② 알터나리아
③ 정자
④ 칸디다증
⑤ 질트리코모나스

## 14

다음 사진은 임신기때 볼 수 있는 세포 형태로 성숙지수는 얼마인가?

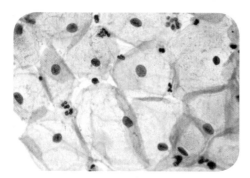

① 100 : 0 : 0
② 0 : 100 : 0
③ 0 : 0 : 100
④ 90 : 10 : 0
⑤ 0 : 10 : 90

## 15

다음 사진의 세포와 관련한 설명으로 옳지 <u>않은</u> 것은 무엇인가?

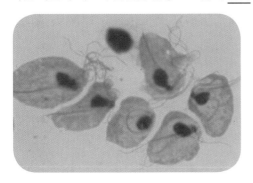

① 여성의 질염을 일으키는 원인균이다.

② 핵주위 투명대를 보인다.

③ 폐경 후기 여성에게 주로 관찰 가능하다.

④ 폴리볼, 포탄볼을 형성한다.

⑤ 세포질내 호에오신성 과립이 출현한다.

## 16

위 사진의 세포와 주로 함께 관찰할 수 있는 세포는 무엇인가?

① Torulopsis glabrata

② Herpes simplex virus

③ Human papilloma virus

④ Leptotrichia

⑤ Candida albicans

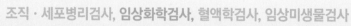

## 17

다음 혈액 튜브 중에 gel이 포함된 것은 무엇인가?

①    ②    ③    ④    ⑤

## 18

다음 사진은 cuvette으로 가장 이상적인 재질은 무엇인가?

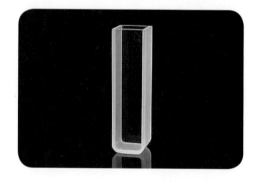

① 규소

② 구리

③ 석영

④ 아연

⑤ 리튬

# 19

다음 사진의 초자기구 용도는 무엇인가?

① 혼합
② 건조
③ 희석
④ 습도유지
⑤ 추출

# 20

다음 구조도는 염광광도계의 내부 표준법을 나타낸 것으로 내부표준물질로 사용되는 것은 무엇인가?

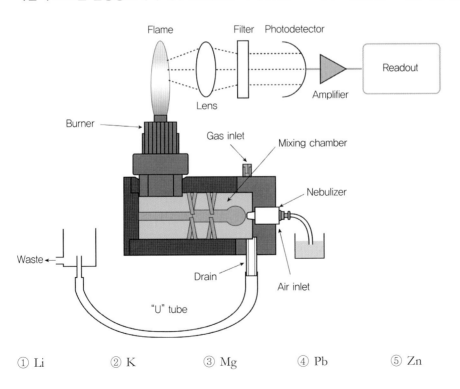

① Li      ② K      ③ Mg      ④ Pb      ⑤ Zn

## 21

다음 사진의 램프는 어떤 기계와 관련이 있는가?

① 원자흡광광도계
② 염광광도계
③ 형광광도계
④ 분광광도계
⑤ 자동분석기

## 22

다음 그림은 금속의 불꽃 반응을 나타낸 것이다. 다음 불꽃 반응색을 나타내는 원소는 무엇인가?

① Na
② K
③ Cu
④ Li
⑤ Pb

## 23

다음은 정규분포곡선으로 3번에 해당하는 확률은 전체의 몇 %인가?

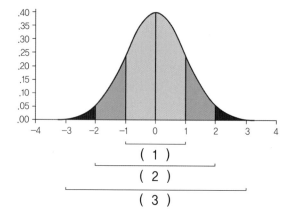

① 99.7%    ② 95.5%    ③ 68.3%    ④ 31.7%    ⑤ 4.5%

## 24

다음 그림은 단백질 전기영동상으로 동그랗게 표시된 분획에서 확인할 수 있는 것은 무엇인가?

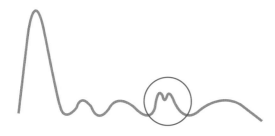

① Albumin

② α1- fetoprotein

③ Immunoglobulin

④ Haptoglobin

⑤ Hemopexin

## 25

다음 사진은 Jaffe 반응의 종말색을 나타낸 것으로 이 반응의 특이성을 높이는 시약은 무엇인가?

① O-Toluidine 시약

② Phosphotungstic acid 시약

③ Lloyd's 시약

④ Ammonium molybdate 시약

⑤ Phenylhydrazine 시약

## 26

다음 중 Kind-King 법의 종말색은 무엇인가?

①  ②  ③  ④  ⑤

## 27

다음은 요침사의 비정상결정으로 이 결정체의 출현으로 의심할 수 있는 질환은 무엇인가?

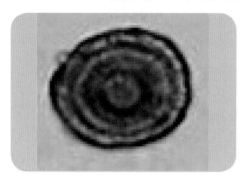

① 약물중독
② 전립선 비대
③ 결석
④ 황달
⑤ 심한 간장애

## 28

안전 표시이다. 옳은 것은 무엇인가?

① 가연성 물질 마크
② 부식성 물질 마크
③ 발연성 물질 마크
④ 발암성 물질 마크
⑤ 폭발성 물질 마크

## 29

다음 사진의 요침사는 무엇을 나타내는가?

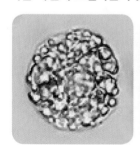 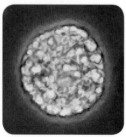

① Bacteria
② Yeast
③ Spermatozoa
④ Broad cast
⑤ Oval fat body

## 30

다음 사진의 요침사는 무엇을 나타내는가?

① RBC

② WBC

③ Bacteria

④ Yeast

⑤ Tryosin

## 31

다음은 요분석기 사진으로 어떤 원리로 측정하는 것인가?

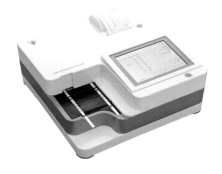

① 반사율 측정

② 복사율 측정

③ 흡수율 측정

④ 굴절률 측정

⑤ 흡광도 측정

## 32

다음 사진의 요침사는 무엇인가?

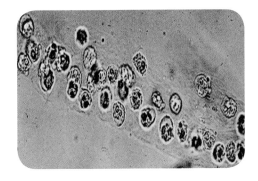

① 적혈구원주

② 백혈구원주

③ 지방원주

④ 세균원주

⑤ 납양원주

## 33

다음에서 보이는 세포와 관련된 설명으로 옳은 것은 무엇인가?

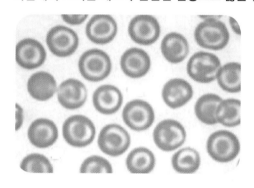

① 초생체염색으로 관찰한다.

② Hb농도가 높다.

③ 표면적이 감소한다.

④ 자가면역용혈빈혈증에서 주로 관찰 가능하다.

⑤ 염색성이 저하된다.

## 34

다음 사진과 관련 있는 것은 무엇인가?

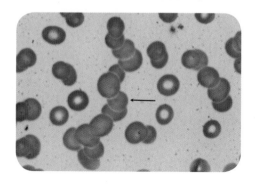

① 한냉응집소

② 말라리아

③ 연전형성

④ 호염기성 반점

⑤ 적혈구응집해리

## 35

다음 중 단핵구의 사진이 <u>아닌</u> 것은 무엇인가?

① 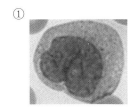 ② 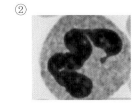 ③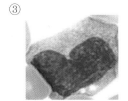

④ 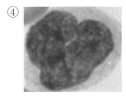 ⑤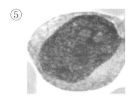

## 36

다음 사진의 세포는 무엇인가?

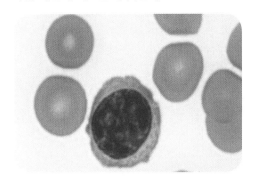

① 호중구
② 호산구
③ 호염기구
④ 단구
⑤ 림프구

## 37

다음 염색사진은 Myeloperoxidase 염색상으로 양성을 나타내는 것은 무엇인가?

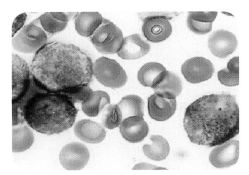

① 호중구
② 림프구
③ 적혈구
④ 단구
⑤ 혈소판

## 38

다음 사진은 급성골수구성백혈병(AML M3) 환자에게서 확인 가능한 세포로 무엇인가?

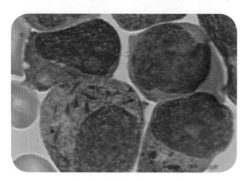

① Sezary cell

② Faggot cell

③ LE cell

④ Tart cell

⑤ Lymphocyte

## 39

다음 사진은 어떠한 질병을 나타낸 것인가?

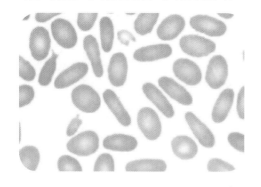

① 적혈구효소결핍증

② 거대적혈모세포 빈혈

③ 지중해빈혈

④ 유전난형적혈구증

⑤ 유전구상적혈구증

## 40

다음은 Ham's test 결과로 시험관 B는 결과가 양성이다. 어떤 질병을 예상할 수 있는가?

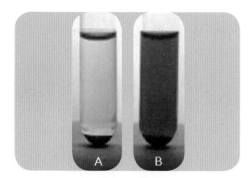

① 지중해성 빈혈

② 적백혈병

③ 발작야간혈색소뇨증

④ 다발성골수종

⑤ 골수섬유증

## 41

**다음 사진의 검사는 무엇을 측정하기 위함인가?**

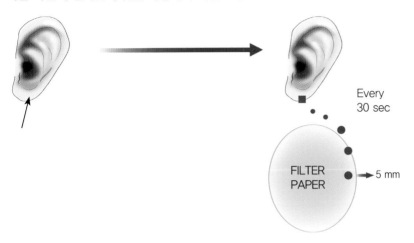

① 모세혈관 저항성
② 혈소판 점착능
③ 출혈 시간
④ 혈병 수축능
⑤ 혈소판 기능

## 42

**다음 사진은 PFA100 기계로 무엇을 측정하기 위한 것인가?**

① 내인계 응고기전 이상 관찰 검사
② 혈액응고시간 검사
③ 혈액응고인자 검사
④ 혈소판 응집능 선별검사
⑤ 혈소판 기능 선별검사

## 43

다음 표는 ABO 혈액형의 혈구형 검사와 혈청형 검사 결과를 도식화한 것으로 옳지 <u>않은</u> 기록은 무엇인가?

| ABO 혈액형 | 혈구형검사 (Cell typing) | | | 혈청형검사 (Serum typing) | | |
|---|---|---|---|---|---|---|
| | Anti-A시약 | Anti-B시약 | Anti-A₁B 시약 | A혈구 | B혈구 | O혈구 |
| A | ①+ | − | + | − | + | − |
| B | − | + | ②+ | + | − | − |
| AB | + | + | ③+ | − | − | ④− |
| O | − | − | ⑤+ | + | + | − |

## 44

다음 사진은 ABO 혈액형 시험관법의 검사 과정 중 하나로 원심침전 중인 사진이다. 이때 rpm과 시간은 얼마인가?

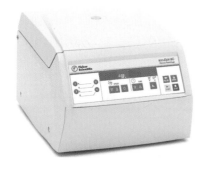

① 3400 rpm에서 15초

② 3400 rpm에서 30초

③ 2500 rpm에서 15초

④ 3400 rpm에서 30초

⑤ 1800 rpm에서 30초

## 45

다음 사진은 ABO 혈액형 검사시 사용되는 혈구 부유액이다. 이 혈구 부유액의 농도는 얼마인가?

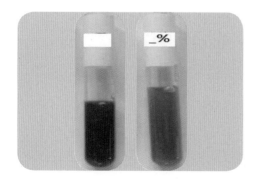

① 0.5 ~ 1.0%

② 2.0 ~ 5.0%

③ 7.0 ~ 10%

④ 10 ~ 13%

⑤ 15 ~ 20%

## 46

다음 사진은 gel card를 이용한 ABO 혈액형 검사로 혈액형은 무엇인가?

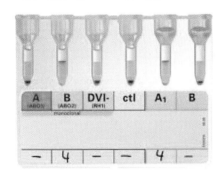

① Rh+ A형

② Rh− A형

③ Rh+ AB형

④ Rh− B형

⑤ Rh+ B형

## 47

다음 사진은 ABO혈액형 검사로 혈액형은 무엇인가?

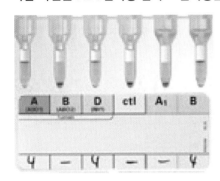

① Rh+ AB형

② Rh− AB형

③ Rh− A형

④ Rh− B형

⑤ Rh+ A형

## 48

다음 사진의 기계는 언제 이용되는가?

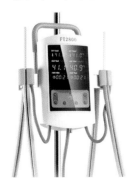

① 수혈 전 혈액을 가온 시킬 때 사용한다.

② 혈소판 보관 전 압축시킬 때 사용한다.

③ 수혈 후 혈액을 폐기시킬 때 사용한다.

④ 헌혈 후 혈액을 포장할 때 사용한다.

⑤ 혈액형 검사 시 온도를 조절할 때 사용한다.

## 49

다음 염색에서 탈색제로 사용하는 것은 무엇인가?

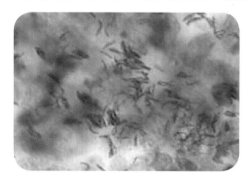

① Carbol fuchsin

② Methylene blue

③ Acetone-alcohol

④ 3% HCl-alcohol

⑤ Crystal violet

## 50

다음은 GasPak Jar 사진으로 생성되는 가스는 무엇인가?

① $H_2 + O_2$

② $H_2 + CO_2$

③ $O_2 + N_2$

④ $O_2 + NH_3$

⑤ $S_2 + CO_2$

## 51

다음은 협막 염색 사진으로 염색법은 무엇인가?

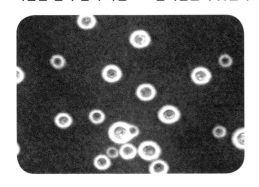

① Moller stain

② Dorner stain

③ India ink stain

④ Hiss stain

⑤ Abbott stain

## 52

다음 사진의 검사에서 양성을 보이는 균은 무엇인가?

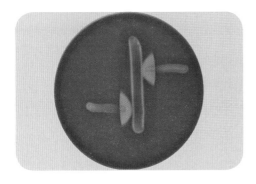

① Streptococcus pyogenes

② Streptococcus pneumoniae

③ Streptococcus agalactiae

④ Enterococcus faecalis

⑤ Viridans streptococcus

## 53

다음 사진은 Tinsdale agar에서 균을 배양한 결과로 어떤 균을 의심할 수 있는가?

① Salmonella typhi

② Corynebacterium diphtheriae

③ Listeria monocytogenes

④ Mycobacterium tuberculosis

⑤ Actinomyces Israeli

## 54

다음 사진은 독소 생성 시험으로 어느 균을 동정할 때 사용하는가?

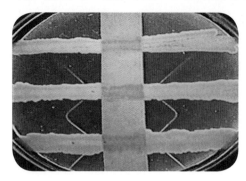

① Neisseria meningitides

② Lactobacillus

③ Listeria monocytogenes

④ Mycobacterium tuberculosis

⑤ Corynebacterium diphtheriae

## 55

다음은 XLD 배지에서 배양한 세균 집락의 모습으로 무엇인가?

① Proteus mirabilis

② Enterobacter aerogenes

③ Citrobacter freundii

④ Salmonella typhi

⑤ Serratia marcescens

## 56

다음 TSI agar 성상 중 Escherichia coli에 대한 tube는 무엇인가?

① 　② 　③ 　④ 　⑤

## 57

다음은 TCBS 배지에서 세균을 배양한 결과로 어떤 세균을 의심할 수 있는가?

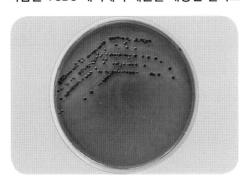

① Pseudomonas aeroginosa

② Clostridium tetani

③ Vibrio alginolyticus

④ Vibrio cholera

⑤ Vibrio vulnificus

## 58

다음 사진의 집락은 Pseudomonas에서 분리되어 나온 아포 비형성균으로 주름진 모양이 특징적인 이 균은 무엇인가?

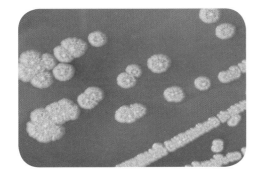

① Pseudomonas fluorescens

② Burkholderia pseudomallei

③ Pseudomonas stutzeri

④ Burkholderia mallei

⑤ Alcaligenes fuecalis

## 59

다음 사진은 Corn-meal agar에서 35°C, 72시간 배양한 진균의 모습이다. 무엇인가?

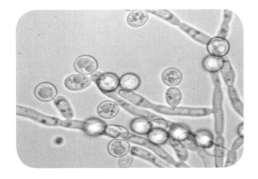

① Cryptococcus neoformans

② Trichophyton mentagrophytes

③ Candida albicans

④ Sporothrix schenkii

⑤ Penicillium

## 60

다음은 바이러스 진단법 중 하나로 무엇인가?

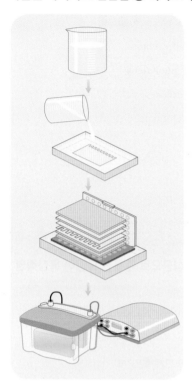

① ELISA

② Western blotting

③ RNA assay

④ DNA assay

⑤ PCR

## 61

다음 사진은 어떤 기생충의 충란인가?

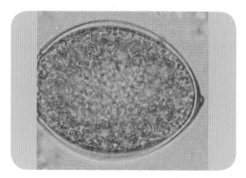

① 유구조충

② 무구조충

③ 왜소조충

④ 쥐조충

⑤ 광절열두조충

## 62

다음은 기생충 검사법으로 여기에서 사용되는 Ether의 사용목적은 무엇인가?

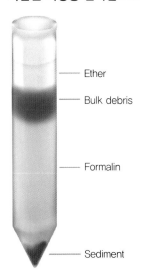

① 충란의 고정
② 충란의 염색
③ 비중 조절
④ 찌꺼기 분리
⑤ 찌꺼기 제거

## 63

다음의 항체는 무엇인가?

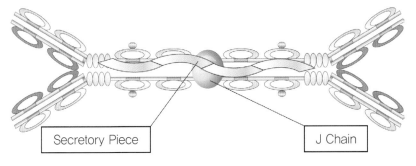

① Ig G
② Ig A
③ Ig M
④ Ig D
⑤ Ig E

## 64

다음 기계와 관련된 설명은 무엇인가?

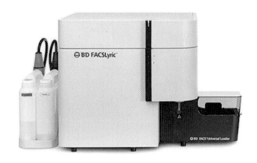

① 경쟁법
② 혈소판 계수 측정
③ 에이즈 검사
④ 매독 검사
⑤ 세포주기 감별

## 65

다음은 항원항체 반응의 종류 중 어떤 반응을 나타낸 것인가?

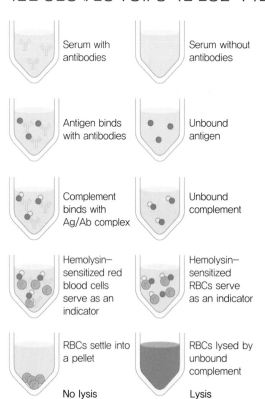

① 침강반응
② 응집반응
③ 표지항원항체반응
④ 보체결합반응
⑤ 항원항체 중화반응

MEMO

Medical Laboratory Technologist

실전모의고사
(실기편)
8회

# 조직 · 세포병리검사

## 01

다음 사진은 슬라이드 가온기 사진으로 이상적인 건조시간과 온도로 맞는 것은 무엇인가?

① -4℃에서 30분 처리

③ 37℃에서 30분 처리

③ 37℃에서 60분 처리

④ 60℃에서 30분 처리

⑤ 60℃에서 60분 처리

## 02

다음 사진의 기계와 관련이 <u>없는</u> 것은 무엇인가?

① 응급검사

② 지질검출

③ OCT compound

④ 파라핀 포매

⑤ 효소 검출

## 03

다음은 글리코겐 동정에 사용되는 검사법으로 무엇인가?

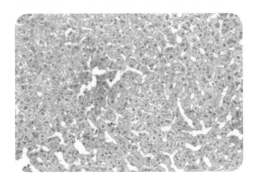

① Gmelin reaction

② Diastase—Pas stain

③ Bestcarmine stain

④ Alcian blue stain

⑤ Diamine stain

## 04

다음의 염색은 어떤 물질의 검출에 반응을 보이는가?

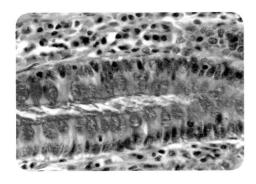

① 지질

② 탄수화물

③ 점액

④ 아밀로이드

⑤ 항산성균

## 05

다음 염색은 아밀로이드를 염색한 사진으로 염색법의 이름은 무엇인가?

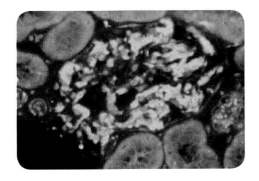

① DFS stain

② Sirius red F3B

③ Direct red 80

④ thioflavin T stain

⑤ Congo red stain

## 06

다음은 지질을 염색한 것으로 관련이 <u>적은</u> 것은 무엇인가?

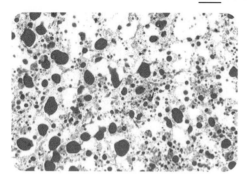

① Oil red O stain

② Gmelin reaction

③ 동결절편

④ Sudan black B stain

⑤ Sudan iv stain

## 07

다음 염색법과 관련 있는 질병은 무엇인가?

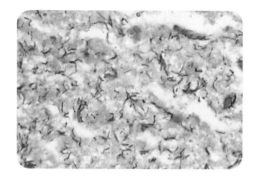

① 콜레라

② 장티푸스

③ 결핵

④ 백혈병

⑤ 빈혈

## 08

다음 사진의 장기는 무엇인가?

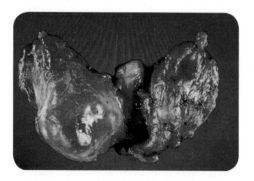

① 갑상샘

② 난소

③ 콩팥

④ 폐

⑤ 간

## 09
다음 사진은 피부 표피층으로 화살표가 가리키는 곳은 어디인가?

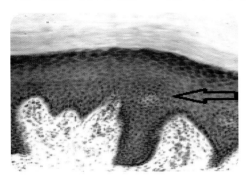

① 각질층
② 과립층
③ 가시층
④ 바닥층
⑤ 투명층

## 10
다음은 H&E 염색 사진으로 어떤 장기인가?

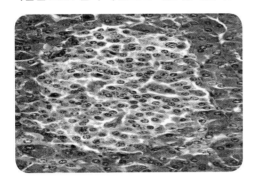

① 갑상샘
② 기관지
③ 이자(췌장)
④ 폐
⑤ 간

## 11
다음 사진은 간의 모습으로 추정할 수 있는 질병은 무엇인가?

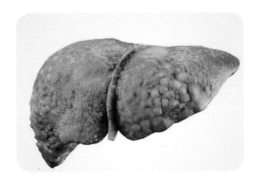

① 간경변증
② 혈관육종
③ 간세포암
④ 담석증
⑤ C형간염

## 12

다음 사진에서 보이는 것은 무엇인가?

① 수복세포
② 콘딜로마
③ 꽃가루
④ 정자
⑤ 임균

## 13

다음 사진의 세포는 무엇인가?

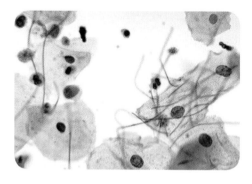

① Trichomonas vaginalis
② Gardnerella vaginalis
③ Actinomyces
④ Leptotrichia buccalis
⑤ Neisseria gonorrhoeae

## 14

다음 사진에서 나타난 세포의 출현으로 의심할 수 있는 질환은 무엇인가?

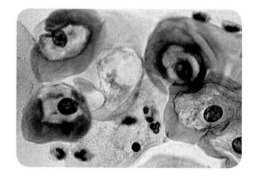

① HSV
② HPV
③ CMV
④ Candida albicans
⑤ Chlamydia

## 15

다음 사진의 세포는 이형성증 단계 중 어떤 단계의 상태를 나타낸 것인가?

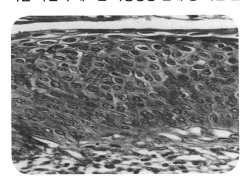

① Mild dysplasia

② Moderate dysplasia

③ Severe dysplasia

④ CIN1

⑤ LSIL

## 16

다음 사진에서 보이는 것은 무엇인가?

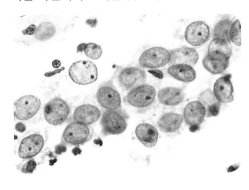

① 수복세포

② 콘딜로마

③ 꽃가루

④ 정자

⑤ 임균

## 17

다음 혈액 튜브 중에 응고시간 측정 검사에 사용되는 것은 무엇인가?

① ② ③ ④ ⑤

## 18

다음 사진의 초자기구 밑바닥에 넣어야 하는 것은 무엇인가?

① 염산
② 탄산
③ 구연산
④ 염화칼륨
⑤ 염화칼슘

## 19

다음 사진의 초자기구는 어떠한 용도로 사용되는가?

① 시약의 보존을 위해 사용된다.
② 시약의 무게 측량을 위해 사용된다.
③ 시약을 조제하기 위해 사용된다.
④ 시약을 회화, 증발, 건조 시키기 위해 사용된다.
⑤ 시약의 보관을 위해 사용된다.

## 20

다음 사진의 pipette filler는 어떤 용액을 취할 때 사용하는가?

① 수은
② 염화칼슘
③ 산화칼슘
④ 증류수
⑤ 강산

## 21

다음 그림은 금속의 불꽃 반응을 나타낸 것이다. 다음 불꽃 반응색을 나타내는 원소는 무엇인가?

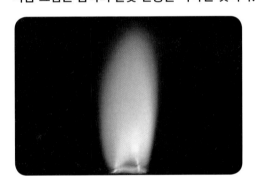

① Na
② K
③ Cu
④ Li
⑤ Pb

## 22

다음 사진의 기기로 측정 할 수 있는 항목은 무엇인가?

① 혈당
② 수소이온농도
③ 전해질
④ 온도
⑤ 비중

## 23

다음 사진의 장비는 무엇인가?

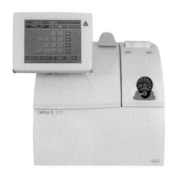

① CBC

② Chemistry analyzer

③ Blood gas analyzer

④ Urine analyzer

⑤ PT, PTT

## 24

다음은 정규분포곡선으로 정상범위에 해당하는 것은 무엇인가?

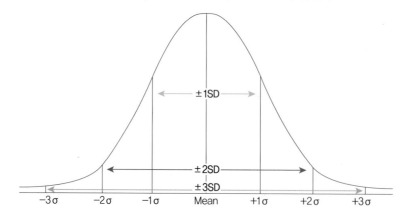

① ±1SD

② ±2SD

③ ±3SD

④ XD

⑤ Mean

## 25

다음 정도관리 그래프에서 동그라미 친 부분은 무엇인가?

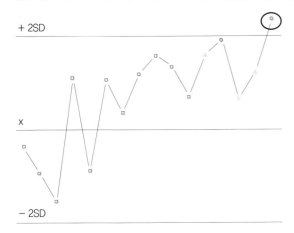

① Outlier      ② Unrest

③ Trend      ④ Shift

⑤ Action limit

## 26

다음 그래프에서 동그라미 친 부분의 상태가 발생한 원인은 무엇인가?

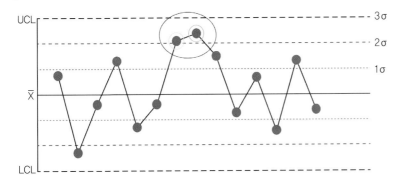

① 기술 미숙      ② 시약 오염

③ Calibration 불량      ④ 항온조온도 상승

⑤ 항온조온도 하강

## 27

다음 그래프는 정밀도관리법 중 어떤 관리법인가?

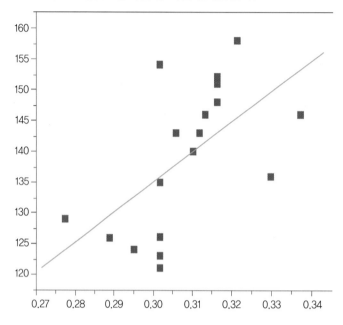

① $\overline{X}$−R 관리도

② 쌍치법

③ 누합법

④ 변동계수관리법

⑤ Westgard multirole

## 28

다음 그림은 단백질 전기영동상으로 동그랗게 표시된 분획에서 확인할 수 있는 것은 무엇인가?

① Albumin

② α1−fetoprotein

③ Immunoglobulin

④ Haptoglobin

⑤ Hemopexin

## 29

다음 중 Ca (Calcium) 측정의 O-CPC는 알칼리 용액에서 어떤 색을 나타내는가?

## 30

다음에서 보이는 이상혈청의 원인은 무엇인가?

① Albumin

② Bilirubin

③ Chylomicron

④ α1 - globulin

⑤ γ - globulin

## 31

다음은 Chloride를 측정한 종말색으로 어떤 방법으로 측정한 것인가?

① White horn법

② Schles-Schales 법

③ EDTA법

④ Clark-Collip법

⑤ Somogyi-Nelson법

## 32

다음은 요침사의 비정상결정으로 이 결정체의 출현으로 의심할 수 있는 질환은 무엇인가?

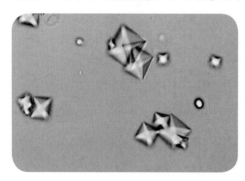

① 약물중독

② 전립선 비대

③ 결석

④ 황달

⑤ 심한 간장애

## 33

다음에서 보이는 세포는 무엇인가?

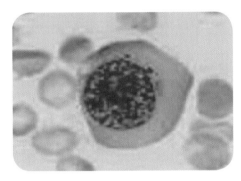

① 전적혈모세포
② 구형적혈구
③ 입모양적혈구
④ 거대적혈구
⑤ 그물적혈구

## 34

다음 사진의 화살표로 표시된 세포는 무엇인가?

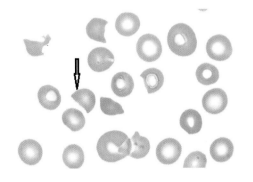

① 분열적혈구
② 가시적혈구
③ 표적적혈구
④ 낫적혈구
⑤ 톱니적혈구

## 35

다음 사진은 백혈구의 이상세포로 무엇인가?

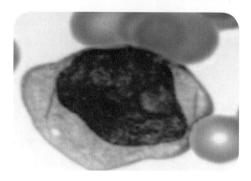

① Drum stick
② Döhle body
③ Auer bodies
④ Toxic granule
⑤ Russell bodies

## 36

다음 세포의 관찰은 언제 가능한가?

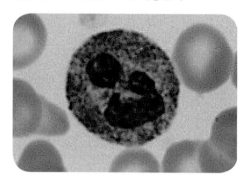

① 백혈병
② 신장질환
③ 간 손상
④ 악성빈혈
⑤ 폐렴

## 37

다음 사진의 세포는 어디에서 출현 하는가?

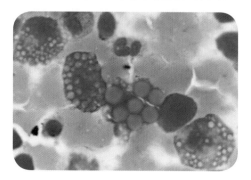

① Plasma cell
② Lymphocyte
③ Mast cell
④ Erythroblast
⑤ Monocyte

# 38

다음 사진의 세포는 무엇인가?

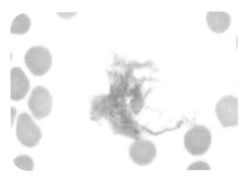

① Plasma cell

② Toxic granule

③ Grape cell

④ Flame cell

⑤ Smudged cell

# 39

다음 사진은 NBT 환원 검사로 양성을 나타낸 결과이다. 어떤 질환의 진단에 이용되는 검사인가?

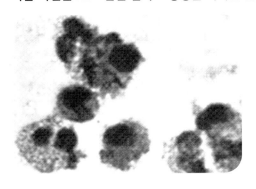

① 악성빈혈

② 유백혈병

③ 적백혈병

④ 다운증후군

⑤ 만성육아종

# 40

다음 사진의 기계로 감별 가능한 질병은 무엇인가?

① 악성빈혈

② 백혈병

③ 다운증후군

④ 혈소판감소증

⑤ 암의 전이

## 41

다음 사진은 어떠한 검사법과 관련이 있는가?

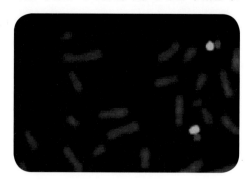

① 효소면역측정법(ELISA)

② 면역방사계수측정법(IRMA)

③ 형광제자리부합법(FISH)

④ 중합효소연쇄반응법(PCR)

⑤ 방사면역측정법(RIA)

## 42

다음 사진은 염색체를 분석한 것으로 관련 있는 것은 무엇인가?

① 정상인의 염색체 핵형

② 다운증후군 핵형

③ 클라인펠터 증후군 핵형

④ 터너증후군 핵형

⑤ 만성골수세포백혈병 핵형

## 43

다음 사진의 anti-B 혈청 시약 색깔이 yellow color를 띄는 것은 어떤 색소의 첨가로 인함인가?

① Dolichos biflorus 색소

② Evonymus sieboldiana 색소

③ Ulex europaeus 색소

④ Trypan blue 색소

⑤ Acriflavine 색소

# 44

다음 보기 중에 ABO 혈액형 혈구형 plate법 검사 시 필요하지 <u>않은</u> 시약은 무엇인가?

① ② ③ ④ ⑤

# 45

다음 도표는 어떠한 검사를 시행할 때 사용되는 것인가?

| | RH | | | | | | MNS | | | | LU | | P | Lewis | | Kell | | Duffy | | Kidd | | LISS | | |
|---|---|---|---|---|---|---|---|---|---|---|---|---|---|---|---|---|---|---|---|---|---|---|---|---|
| | D | C | E | c | e | f | M | N | S | s | $Lu^a$ | $Lu^b$ | $P_1$ | $Le^a$ | $Le^b$ | K | k | $Fy^a$ | $Fy^b$ | $JK^a$ | $JK^b$ | IS | 37C | IAT |
| 1 | + | + | 0 | 0 | + | 0 | + | + | + | + | 0 | + | + | 0 | + | 0 | + | 0 | + | + | + | 0 | 0 | 2+ |
| 2 | + | + | 0 | 0 | + | 0 | + | + | + | 0 | 0 | + | 0 | 0 | 0 | 0 | + | 0 | + | + | + | 0 | 0 | 2+ |
| 3 | + | 0 | + | + | 0 | 0 | 0 | + | + | + | 0 | + | 0 | 0 | 0 | 0 | + | + | + | 0 | + | 0 | 0 | 1+ |
| 4 | + | 0 | 0 | + | + | + | + | 0 | + | + | 0 | + | + | + | 0 | 0 | 0 | 0 | 0 | 0 | + | 0 | 0 | 0√ |
| 5 | 0 | + | 0 | + | + | + | + | + | + | + | 0 | + | + | + | 0 | 0 | 0 | 0 | + | 0 | 0 | 0 | 0 | 2+ |
| 6 | 0 | 0 | + | + | + | + | + | + | + | + | 0 | + | 0 | 0 | + | 0 | 0 | + | 0 | + | + | 0 | 0 | 0√ |
| 7 | 0 | 0 | + | + | + | + | + | + | + | + | 0 | + | 0 | 0 | + | + | 0 | + | 0 | + | + | 0 | 0 | 0√ |
| 8 | 0 | 0 | + | + | + | + | + | + | + | + | 0 | 0 | + | 0 | + | 0 | 0 | + | 0 | + | 0 | 0 | 0 | 2+ |
| 9 | 0 | 0 | 0 | + | + | + | + | 0 | + | 0 | 0 | + | 0 | 0 | + | 0 | 0 | + | + | 0 | + | 0 | 0 | 0√ |
| 10 | 0 | 0 | 0 | + | + | + | 0 | + | 0 | + | 0 | + | + | 0 | + | 0 | 0 | + | + | 0 | + | 0 | 0 | 2+ |
| 11 | + | + | 0 | 0 | + | 0 | + | + | + | + | 0 | + | 0 | + | 0 | + | 0 | + | + | + | + | 0 | 0 | 2+ |

① 항체선별검사  ② 항체동정검사

③ 항체흡착검사  ④ 항체용출검사

⑤ Column agglutination

# 46

다음 사진은 어떤 검사를 시행할 때 필요한 시약인가?

① Antibody Idenification test

② Antibody Screening test

③ Direct antiglobulin test

④ Indirect antiglobulin test

⑤ Column agglutination

## 47

다음 도표와 관련된 검사는 무엇인가?

| | RH | | | | | | MNS | | | | LU | | P | Lewis | | Kell | | Duffy | | Kidd | | LISS (Test Tube) | | |
|---|---|---|---|---|---|---|---|---|---|---|---|---|---|---|---|---|---|---|---|---|---|---|---|---|
| | D | C | E | c | e | f | M | N | S | s | Lu^a | Lu^b | P₁ | Le^a | Le^b | K | k | Fy^a | Fy^b | JK^a | JK^b | IS | 37C | IAT |
| 1 | + | + | 0 | 0 | + | 0 | + | + | + | + | 0 | + | + | + | 0 | + | + | + | 0 | 0 | + | 0 | 0 | 2+ |
| 2 | + | 0 | + | + | 0 | 0 | + | 0 | + | 0 | 0 | + | + | 0 | + | 0 | + | + | + | + | 0 | 0 | 0 | 1+ |
| 3 | 0 | 0 | 0 | + | + | + | 0 | + | 0 | + | 0 | + | 0 | 0 | + | 0 | + | 0 | + | + | + | 0 | 0 | 0√ |

① Cross matching

② ABO typing

③ Antibody Screening test

④ Antibody Idenification test

⑤ Direct antiglobulin test

## 48

다음은 항체동정검사를 실행한 결과로 동정되는 항체는 무엇인가?

| Cell | D | C | c | E | e | C^w | K | k | Kp^a | Kp^b | Js^a | Js^b | Fy^a | Fy^b | Jk^a | Jk^b | Le^a | Le^b | P₁ | M | N | S | s | Lu^a | Lu^b | Xg^a | IS | AHG | CC |
|---|---|---|---|---|---|---|---|---|---|---|---|---|---|---|---|---|---|---|---|---|---|---|---|---|---|---|---|---|---|
| 1 | + | + | 0 | 0 | + | 0 | + | + | 0 | + | 0 | + | + | + | + | 0 | 0 | + | 0 | + | 0 | + | 0 | 0 | + | + | − | 1+ | |
| 2 | + | 0 | + | + | 0 | 0 | 0 | + | 0 | + | 0 | + | 0 | + | + | + | 0 | 0 | + | + | + | 0 | 0 | + | + | − | 1+ | |
| 3 | + | + | 0 | 0 | + | + | 0 | + | 0 | + | 0 | + | + | + | 0 | 0 | + | 0 | + | 0 | + | 0 | 0 | + | + | − | 1+ | |
| 4 | + | 0 | + | 0 | + | 0 | 0 | + | 0 | + | 0 | + | + | 0 | + | 0 | 0 | 0 | 0 | + | 0 | + | + | + | + | − | 2+ | |
| 5 | 0 | + | + | 0 | + | 0 | 0 | + | 0 | + | 0 | + | + | 0 | 0 | + | 0 | + | 0 | 0 | + | 0 | + | 0 | − | 2+ | |
| 6 | 0 | 0 | + | + | + | 0 | 0 | + | + | + | 0 | + | 0 | + | 0 | + | 0 | + | 0 | + | 0 | + | 0 | − | 2+ | |
| 7 | 0 | 0 | + | 0 | + | 0 | 0 | + | 0 | + | 0 | + | 0 | + | 0 | + | 0 | + | 0 | + | 0 | + | 0 | − | 2+ | |
| 8 | 0 | 0 | + | 0 | + | 0 | + | 0 | 0 | + | 0 | + | 0 | + | 0 | + | 0 | + | + | + | + | 0 | + | − | 2+ | |
| 9 | + | + | + | 0 | + | 0 | 0 | + | 0 | + | 0 | + | + | 0 | + | 0 | + | 0 | + | + | + | 0 | 0 | + | 0 | − | 2+ | |
| 10 | + | + | + | 0 | + | 0 | 0 | + | 0 | + | + | + | 0 | 0 | + | 0 | 0 | + | + | + | + | + | + | − | 2+ | |
| 11 | 0 | 0 | + | 0 | 0 | 0 | + | + | + | + | 0 | + | 0 | 0 | + | 0 | + | 0 | + | 0 | + | 0 | + | + | − | 1+ | |
| Patient's cells | | | | | | | | | | | | | | | | | | | | | | | | | | | − | − | + |

① Anti−D

② Anti−C

③ Anti−e

④ Anti−Js^b

⑤ Anti−Jk^b

# 임상미생물검사

## 49

다음 배지에서 황색을 나타내는 균은 무엇인가?

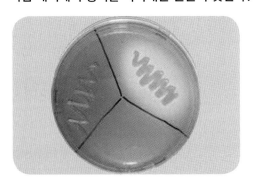

① Staphylococcus epidermidis

② Staphylococcus aureus

③ Cyptococcus neoformans

④ Klebsiella pneumoniae

⑤ Streptococcus pneumoniae

## 50

다음 사진의 장치에서 세균 배양 후에 무산소성 환경일 때 지시약의 색은 어떠한가?

① 검은색

② 노랑색

③ 빨강색

④ 파랑색

⑤ 무색

## 51

다음 사진에서 양성을 보이는 균은 무엇인가?

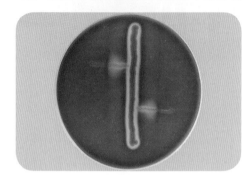

① Streptococcus pyogenes

② Streptococcus pneumoniae

③ Streptococcus agalactiae

④ Enterococcus faecalis

⑤ Viridans streptococcus

## 52

다음 사진의 검사법은 무엇인가?

① DNase test

② Novobiocin test

③ Oxidase test

④ Elek test

⑤ Oxidation-Fermentation test

## 53

다음 사진은 독소 생성 시험으로 어떤 시험법인가?

① Schick test

② Elek test

③ Kinyoun test

④ Niacin test

⑤ Lepromin test

## 54

다음은 디프테리아균을 배양하는 사진으로 어떤 배지에서 나타난 흑색 집락인가?

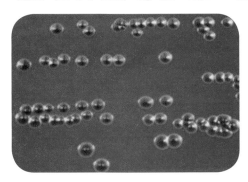

① MacConkey agar

② Nutrient agar

③ Loeffler agar

④ Potassium tellurite agar

⑤ BAP agar

## 55

다음은 TSI agar에서 반응한 결과로 동일한 결과를 기대할 수 있는 세균은 무엇인가?

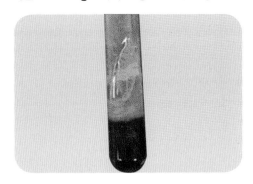

① Shigella sonnei

② Citrobacter freundii

③ Salmonella typhi

④ Klebsiella pneumoniae

⑤ Listeria cytogenes

## 56

다음 사진의 검사는 IMViC test 중 어떤 것을 나타내는가?

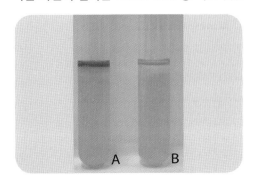

① Indole test

② Methyl red test

③ Voreus – Proskauer test

④ Citrate test

⑤ ONPG test

## 57

다음은 녹농균을 배양한 배지로 이 균에서 생성한 색소는 무엇인가?

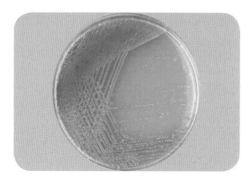

① Pyuridic

② Pyrimidin

③ Pyoverdin

④ Pyomelanin

⑤ Pyocyanin

## 58

다음 사진은 어떤 균을 BAP 배지에서 접종하고 staphylococcus aureus를 획선 배양 했을 때 보이는 위성현상이다. 어떤 균을 접종했는가?

① Haemophilus influenza

② Haemophilus parahemolyticus

③ Haemophilus aegypticus

④ Bordetella pertussis

⑤ Brucella melitensis

## 59

다음 사진의 진균은 피부 사상균으로 대분생자를 생성하는 것은 무엇인가?

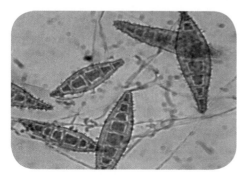

① Microsporum canis

② Trichophyton mentagrophytes

③ Trichophyton rubum

④ Epidermophyton floccosum

⑤ Blastomyces dermatitidis

## 60

다음 사진은 염색 시 bipolar staining의 특징을 보이며 형광항체법에 의해 envelope이 관찰되고
운동성 검사 시 음성을 나타내는 균이다. 무엇인가?

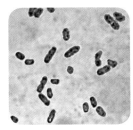 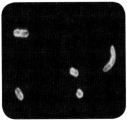

① Citrobacter freundii

② Listeria monocytogenes

③ Vibrio cholera

④ Alcaligenes faecalis

⑤ Yersinia pestis

## 61

다음은 기생충 검사법 중 MGL법으로 상층부터 순서가 바르게 연결된 것은 무엇인가?

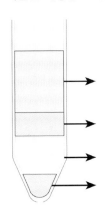

① Ether – 찌꺼기 – formalin – 충란

② Ether – formalin – 충란 – 찌꺼기

③ Formalin – 충란 – ether – 찌꺼기

④ Formalin – 찌꺼기 – 충란 – ether

⑤ 충란 – ether – formalin – 찌꺼기

## 62

다음은 기생충 검사법의 종류 중 어떤 검사법을 나타낸 것인가?

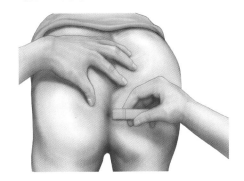

① 포르말린 – 에테르 침전법

② 피내반응검사법

③ 충란배양법

④ 스카치 테잎 항문주위도말법

⑤ 셀로판 후층 도말법

## 63

다음의 항체는 무엇인가?

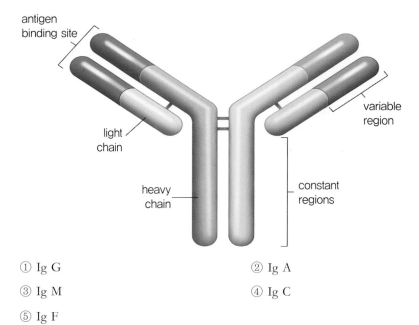

① Ig G          ② Ig A

③ Ig M          ④ Ig C

⑤ Ig F

## 64

다음 사진의 기구는 어떤 검사를 진행할 때 사용하는 plate인가?

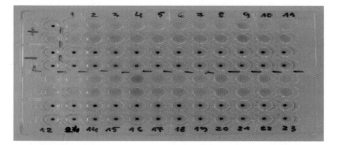

① 혈액형검사          ② TPHA

③ ETA          ④ RPR

⑤ APTT

# 65

**다음 사진은 어떤 기생충의 제1중간숙주를 나타낸 것인가?**

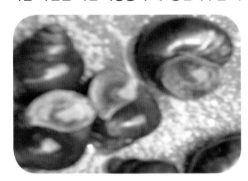

① 일본주혈흡충

② 말레이사상충

③ 폐흡충

④ 간흡충

⑤ 요꼬가와흡충

실전모의고사
(실기편)
9회

# 조직 · 세포병리검사

## 01

다음은 박절기의 모습으로 해당부위가 가리키는 각도는 무엇인가?

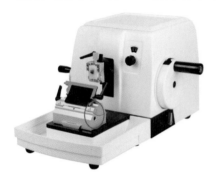

① 쐐기각

② 경사각

③ 틈의각

④ 사이각

⑤ 박절각

## 02

다음 염색은 Alcian blue 염색이다. 이 염색에서 고도로 황산화된 산성점액물질만 염색되는 pH는 몇인가?

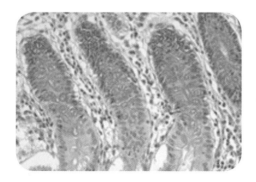

① pH 1.0

② pH 2.0

③ pH 2.5

④ pH 4.0

⑤ pH 7.0

## 03

다음 염색은 Best carmine stain으로 적색으로 염색된 부위는 무엇인가?

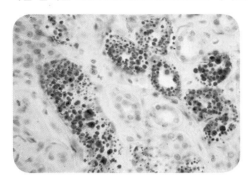

① 지질
② 점액
③ 글리코겐
④ 렉틴
⑤ 아밀로이드

## 04

다음 염색은 아밀로이드 검출을 위한 염색법으로 무엇을 나타내는가?

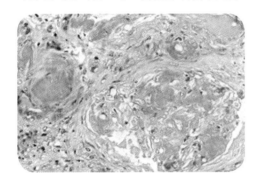

① Giemsa stain
② Warthin-starry stain
③ Sudan black B stain
④ Oil red O stain
⑤ Congo red stain

## 05

다음 염색과 관련이 없는 것은 무엇인가?

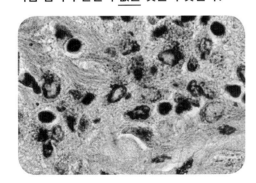

① 도은법
② 스피로헤타 염색
③ H.pylori 증명
④ 파라핀 절편
⑤ Cryostat

## 06

다음은 피부 표피를 염색한 것으로 멜라닌 색소가 위치하는 곳은 어디인가?

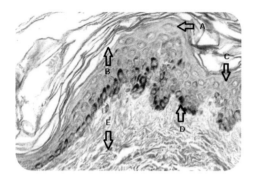

① A

② B

③ C

④ D

⑤ E

## 07

위 사진의 염색법은 무엇인가?

① Schmorl stain

② DFS stain

③ Fontana-Masson stain

④ Grimerius stain

⑤ Prussian blue stain

## 08

다음은 H&E 염색 사진으로 어떤 장기인가?

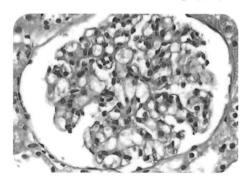

① 심장

② 정세관

③ 갑상샘

④ 콩팥

⑤ 작은창자

## 09

다음 사진은 근육조직의 H&E 염색 사진으로 확인할 수 있는 상피조직은 무엇인가?

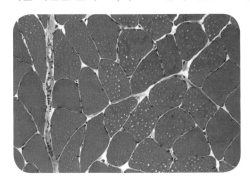

① 민무늬근(평활근)

② 내장근

③ 심장근

④ 뼈대근(골격근)

⑤ 가로무늬근(횡문근)

## 10

다음은 근육의 효소조직화학방법을 이용한 염색으로 염색법은 무엇인가?

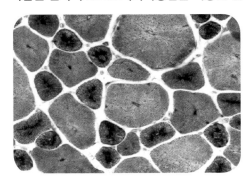

① NADH-TR stain

② PAS stain

③ PTAH stain

④ ATPase stain

⑤ ABC stain

## 11

다음 사진은 어떤 조직의 H&E 염색 결과이다. 어떠한 조직인가?

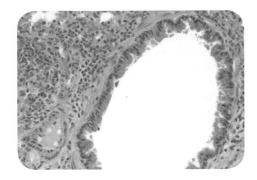

① 콩팥

② 기관지

③ 이자(췌장)

④ 심장

⑤ 사구체

## 12

다음 사진에서 보이는 세포는 어떤 상태일 때 관찰이 가능한가?

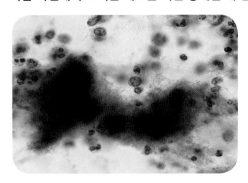

① 자궁내 피임장치(IUD) 착용한 여성
② 질염에 걸린 여성
③ 자궁암에 걸린 여성
④ 노인성질염에 걸린 여성
⑤ 대상포진에 걸린 여성

## 13

다음 사진의 세포로 의심할 수 있는 질병은 무엇인가?

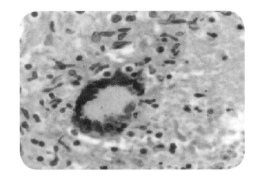

① 자궁외 임신
② 불임
③ 캔디다증
④ 결핵성 경관염
⑤ 단순포진 바이러스 감염

## 14

다음 사진의 세포 출현으로 의심할 수 있는 질환은 무엇인가?

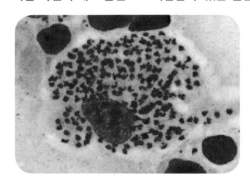

① 인유두종 바이러스
② 결핵성 경관염
③ 클라미디아 감염증
④ 이형성증
⑤ 서혜육아종증

# 15

다음 사진에서 확인 할 수 있는 세포와 관련 있는 병원균은 무엇인가?

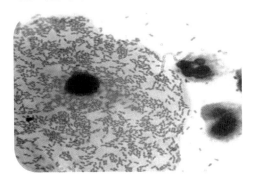

① Trichomonas vaginalis

② Gardnerella vaginalis

③ Cytomegalovirus

④ Herpes simplex virus

⑤ Chlamydia trachomatis

# 16

다음은 여성 자궁경부 질 도말 표본으로 LSIL 병변이 관찰된다. 여기서 확인 할 수 있는 세포는 무엇인가?

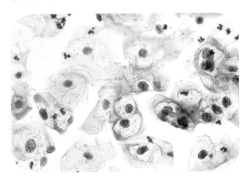

① 실마리세포

② 집단탈출

③ 수복세포

④ 공동세포

⑤ 악성 진주

## 17

다음 사진의 검체 중 용혈 상태의 검체는 무엇인가?

①   ②   ③   ④   ⑤

## 18

다음 사진의 기구는 무엇인가?

① 삼각 플라스크

② 용량 플라스크

③ Volumetric 플라스크

④ Kjeldahl 플라스크

⑤ 증류 플라스크

## 19

위 사진의 기구는 무엇을 측정할 때 사용하는가?

① 혈액 점성      ② 표준액의 정확한 양

③ 호르몬 측정      ④ 산소 정량

⑤ 질소 정량

## 20

다음 사진처럼 채혈 후 방치하지 않고 채혈 후 30분 이내에 검사를 해야 하는 항목은 무엇인가?

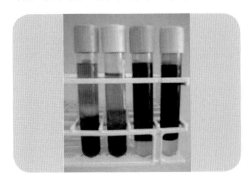

① Hemoglobin

② AST

③ ALT

④ CEA

⑤ Ammonia

## 21

다음은 정상인의 LDH isoenzyme의 전기영동 패턴으로 심근경색에서 가장 먼저 상승하는 isoenzyme은 무엇인가?

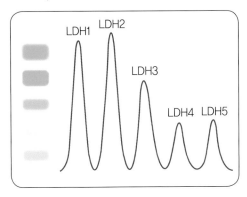

① $LDH_1$

② $LDH_2$

③ $LDH_3$

④ $LDH_4$

⑤ $LDH_5$

## 22

다음 사진의 pipette으로 검정 할 때 어떤 물질이 사용되는가?

| ① 아연 | ② 수은 |
|--------|--------|
| ③ 염산 | ④ 규소 |
| ⑤ 탄소 | |

## 23

다음 그림은 어떤 기계를 나타내는가?

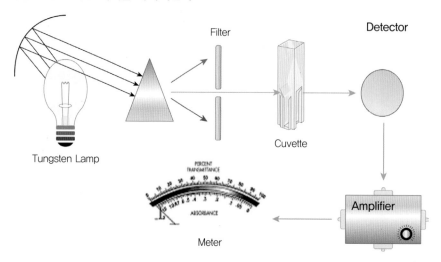

① pH meter

② Spectrophotometer

③ Flame photometer

④ Fluorometer

⑤ Reflectance photometer

## 24

다음 사진의 기계로 검사할 때 사용하는 혈액 튜브로 가장 이상적인 것은 무엇인가?

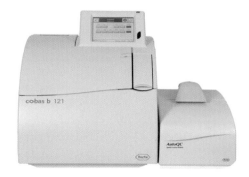

① EDTA tube

② Heparin tube

③ SST tube

④ Blood culture tube

⑤ Sodium citrate tube

# 25

다음은 내부정도관리시 사용하는 정도관리법으로 그려진 그래프는 무엇이라고 불리는가?

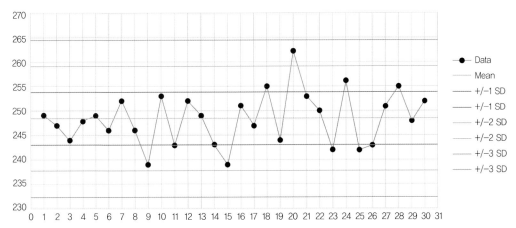

① QC chart

② Warning chart

③ Twin plot

④ Cusum plot

⑤ $\overline{X}$−R 관리도

# 26

다음 보기에서 정확도가 가장 높은 그래프는 무엇인가?

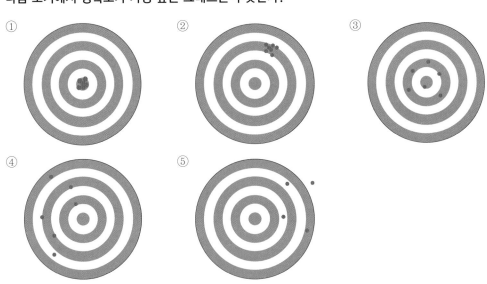

## 27

다음 정도관리 그래프에서 빨강색으로 나타낸 부분을 무엇이라고 하는가?

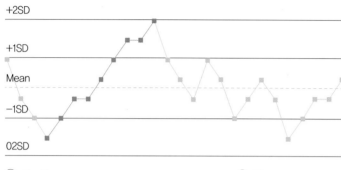

① Outlier      ② Unrest

③ Trend      ④ Shift

⑤ Warning limit

## 28

다음 그림의 전기영동상에서 albumin은 어디에서 확인 할 수 있는가?

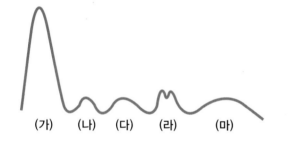

① 가
② 나
③ 다
④ 라
⑤ 마

## 29

검사법 중 아래 사진과 같은 청자색의 종말색을 나타내는 검사법은 어느 것인가?

① Henry법
② Zimmerman 반응
③ Titan yellow
④ Fearron 반응
⑤ Biuret 반응

## 30

다음은 요침사의 비정상결정으로 이 결정체의 출현으로 의심할 수 있는 질환은 무엇인가?

① 약물중독

② 전립선 비대

③ 결석

④ 황달

⑤ 폐질환

## 31

다음 사진은 요침사에서 볼 수 있는 결정체로 출현 시 전립선 비대를 의심할 수 있다. 이 결정체는 무엇인가?

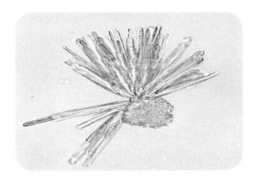

① Cysteine

② Calcium phosphate

③ Tyrosine

④ Cholesterol

⑤ Triple phosphate

## 32

다음 요침사에서 보이는 결정체는 무엇인가?

① Leucine

② Tyrosine

③ Bilirubin

④ Cholesterol

⑤ Cysteine

## 33

다음 사진에서 보이는 세포의 출현과 관련있는 질병은 무엇인가?

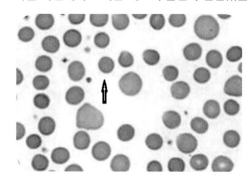

① Rh null 증후군
② 알코올성 간장애
③ 비장제거
④ 자가면역용혈빈혈
⑤ 골수섬유증

## 34

다음 사진에서 보이는 세포의 출현으로 관련있는 질병은 무엇인가?

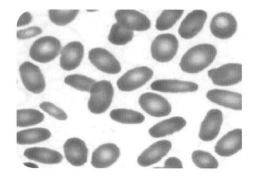

① 백혈병
② 암의 골수전이
③ 요독증
④ 철결핍성 빈혈
⑤ 비장제거

## 35

다음 사진은 독성 과립과 종종 함께 출현하는 세포로 무엇인가?

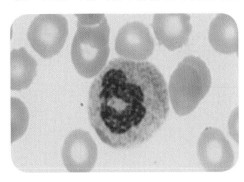

① Auer bodies
② Döhle body
③ Lymphocyte
④ Vacuolization
⑤ Drum stick

## 36

다음 사진에서 화살표로 표시된 세포는 무엇인가?

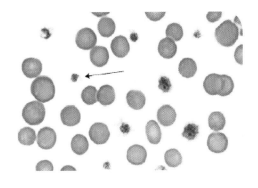

① Lymphocyte
② Eosinophilic segment
③ Pappenheimer body
④ Howell Jolly body
⑤ Platelet

## 37

다음 사진에서 보이는 세포와 관련 있는 것은 무엇인가?

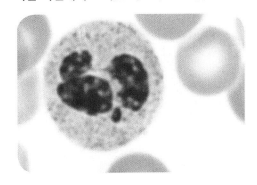

① 다운증후군
② 터너증후군
③ 에드워드증후군
④ 클라인펠터증후군
⑤ 파타우증후군

## 38

다음 사진의 세포 특징은 무엇인가?

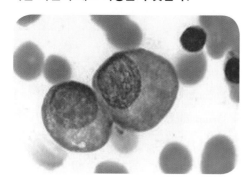

① 세포질이 호산성이다.

② 핵의 다분엽

③ 핵주명정

④ 말초혈액에서 주로 관찰 가능하다.

⑤ 거대 혈소판이 동반한다.

## 39

다음 사진의 세포는 무엇인가?

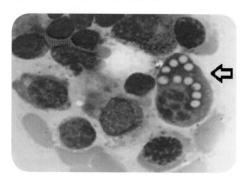

① Döhle body

② Auer bodies

③ Alder−Reilly anomaly

④ Russell bodies

⑤ Chediak−Higashi−Steinbrink anomaly

## 40

다음 사진은 염색체를 분석한 것으로 관련 있는 것은 무엇인가?

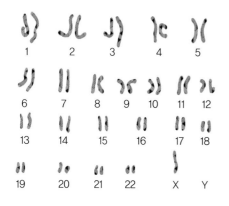

① 정상인의 염색체 핵형

② 다운증후군 핵형

③ 클라인펠터 증후군 핵형

④ 터너증후군 핵형

⑤ 만성골수세포백혈병 핵형

## 41

**다음 그림은 혈구계산반의 혈구계산실을 나타낸 것으로 혈구계산실의 깊이는 얼마인가?**

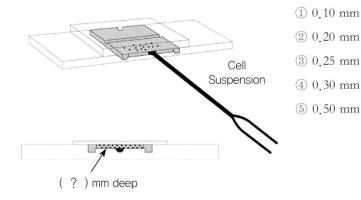

Cell
Suspension

( ? ) mm deep

① 0.10 mm

② 0.20 mm

③ 0.25 mm

④ 0.30 mm

⑤ 0.50 mm

## 42

**다음 사진의 기계와 관련이 있는 것은 무엇인가?**

① 적혈구 용적률 측정

② 혈색소 측정

③ 수혈량 분석

④ 혈소판 기능 선별

⑤ 혈소판 응집능 검사

## 43

다음은 항체동정검사를 실행한 결과로 동정되는 항체는 무엇인가?

| Cell # | D | C | E | c | e | F | Cw | V | K | k | Kpa | Kpb | Jsa | Jsb | Fya | Fyb | Jka | Jkb | Xga | Lea | Leb | S | s | M | N | P1 | Lua | Lub | AHG |
|---|---|---|---|---|---|---|---|---|---|---|---|---|---|---|---|---|---|---|---|---|---|---|---|---|---|---|---|---|---|
| 1 | + | + | 0 | 0 | + | 0 | + | 0 | 0 | + | 0 | + | 0 | + | + | + | + | + | + | 0 | + | 0 | + | 0 | + | + | + | + | 3+ |
| 2 | + | + | 0 | 0 | + | 0 | 0 | 0 | 0 | + | 0 | + | 0 | + | 0 | + | + | 0 | + | + | 0 | + | + | + | 0 | + | 0 | + | 3+ |
| 3 | + | 0 | + | + | 0 | 0 | 0 | 0 | 0 | + | 0 | + | 0 | + | 0 | + | 0 | + | + | 0 | + | 0 | + | 0 | + | 0 | 0 | 0 | 2+ |
| 4 | + | 0 | 0 | 0 | + | + | 0 | + | 0 | + | 0 | + | 0 | + | 0 | 0 | + | + | + | 0 | 0 | + | 0 | + | + | +s | 0 | 0 | 3+ |
| 5 | 0 | + | 0 | + | + | + | 0 | 0 | + | 0 | + | 0 | + | 0 | + | + | + | 0 | + | 0 | + | 0 | + | + | + | + | 0 | + | 3+ |
| 6 | 0 | 0 | + | + | + | + | 0 | 0 | 0 | + | 0 | + | 0 | + | + | 0 | 0 | + | 0 | 0 | + | 0 | + | + | + | 0 | 0 | + | 3+ |
| 7 | 0 | 0 | 0 | + | + | + | 0 | 0 | + | + | 0 | + | 0 | + | 0 | + | 0 | + | + | + | 0 | + | 0 | + | 0 | + | 0 | + | 3+ |
| 8 | 0 | 0 | 0 | + | + | + | 0 | 0 | 0 | + | 0 | + | 0 | + | + | + | 0 | + | 0 | + | + | + | + | + | + | 0 | 0 | + | 3+ |
| 9 | 0 | 0 | 0 | + | + | + | 0 | 0 | 0 | + | 0 | + | 0 | + | + | + | + | 0 | + | 0 | + | + | 0 | + | 0 | + | 0 | + | 2+ |
| 10 | 0 | 0 | 0 | + | + | + | 0 | 0 | 0 | + | 0 | + | 0 | + | + | + | 0 | + | 0 | + | 0 | + | 0 | + | + | 0 | +s | 0 | 3+ |
| 11 | + | + | 0 | 0 | + | 0 | 0 | 0 | + | + | 0 | + | 0 | + | 0 | + | + | 0 | + | 0 | + | 0 | + | 0 | + | + | 0 | + | 3+ |
| PC | | | | | | | | | | | | | | | | | | | | | | | | | | | | | 3+ |

① Anti-E

② Anti-V

③ Anti-Fy$^b$

④ Anti-Le$^b$

⑤ Anti-Lu$^b$

## 44

다음은 항체동정검사를 실행한 결과로 동정되는 항체는 무엇인가?

| Donor Cell Number | D | C | E | c | e | Cw | K | k | Kpa | Kpb | Jsa | Jsb | Fya | Fyb | Jka | Jkb | Lea | Leb | M | N | S | s | P1 | Lua | Lub | IS | 37 | AHG | CC |
|---|---|---|---|---|---|---|---|---|---|---|---|---|---|---|---|---|---|---|---|---|---|---|---|---|---|---|---|---|---|
| 1 | + | + | 0 | 0 | + | 0 | 0 | + | 0 | + | 0 | + | + | 0 | + | + | + | 0 | + | + | + | + | + | 0 | + | 0 | 0 | 2+ | ND |
| 2 | + | + | 0 | 0 | + | + | + | + | 0 | + | 0 | + | + | 0 | + | 0 | 0 | + | + | + | + | + | + | 0 | + | 0 | 0 | 0 | + |
| 3 | + | 0 | + | + | 0 | 0 | 0 | + | 0 | + | 0 | + | 0 | + | 0 | + | 0 | + | + | 0 | 0 | + | + | 0 | + | 0 | 0 | 0 | + |
| 4 | + | 0 | 0 | 0 | + | 0 | 0 | + | 0 | + | 0 | + | 0 | 0 | + | 0 | 0 | + | + | 0 | + | 0 | + | 0 | + | 0 | 0 | 3+ | ND |
| 5 | 0 | 0 | 0 | + | + | 0 | + | 0 | + | 0 | + | 0 | + | + | 0 | + | 0 | + | + | + | 0 | + | + | 0 | + | 0 | 0 | 2+ | ND |
| 6 | 0 | 0 | 0 | + | + | 0 | 0 | + | 0 | + | 0 | + | 0 | + | + | + | + | + | + | + | + | 0 | + | 0 | + | 0 | 0 | 2+ | ND |
| 7 | 0 | 0 | 0 | + | + | 0 | 0 | + | 0 | + | 0 | + | + | 0 | + | 0 | 0 | + | + | 0 | 0 | + | + | 0 | + | 0 | 0 | 0 | + |
| 8 | 0 | 0 | 0 | + | + | 0 | 0 | + | 0 | + | 0 | + | + | + | 0 | + | 0 | + | 0 | + | + | + | + | 0 | + | 0 | 0 | 0 | + |
| 9 | 0 | 0 | 0 | + | + | 0 | 0 | + | 0 | + | 0 | + | + | + | 0 | + | 0 | + | 0 | + | 0 | + | + | 0 | + | 0 | 0 | 3+ | ND |
| 10 | + | 0 | 0 | 0 | + | 0 | 0 | + | 0 | + | 0 | + | 0 | + | 0 | + | 0 | + | 0 | + | + | 0 | + | 0 | + | 0 | 0 | 0 | + |
| AC | | | | | | | | | | | | | | | | | | | | | | | | | | 0 | 0 | 0 | + |

① Anti-c

② Anti-k

③ Anti-Fy$^a$

④ Anti-Js$^b$

⑤ Anti-Jk$^a$

## 45

다음은 항체동정검사를 실행한 결과로 동정되는 항체는 무엇인가?

| Cell | D | C | E | c | e | P₁ | M | N | S | s | Le^a | Le^b | K | k | Fy^a | Fy^b | Jk^a | Jk^b | IS | 37⁰ | AHG |
|------|---|---|---|---|---|----|---|---|---|---|------|------|---|---|------|------|------|------|----|----|-----|
| 1 | + | + | 0 | 0 | + | 0 | + | 0 | + | 0 | 0 | + | 0 | + | + | 0 | + | + | 0 | 0 | 1+ |
| 2 | + | + | 0 | 0 | + | + | + | + | 0 | + | 0 | + | 0 | + | + | 0 | + | + | 0 | 0 | 1+ |
| 3 | + | 0 | + | + | 0 | + | 0 | + | 0 | + | 0 | + | 0 | + | 0 | + | + | 0 | 0 | 0 | 0 |
| 4 | + | 0 | + | + | + | + | + | + | + | 0 | 0 | + | 0 | + | + | 0 | + | 0 | 0 | 0 | 2+ |
| 5 | 0 | 0 | 0 | + | + | + | + | 0 | + | + | + | 0 | 0 | + | + | 0 | + | 0 | 0 | 0 | 2+ |
| 6 | 0 | 0 | 0 | + | + | + | + | 0 | + | + | 0 | 0 | + | + | 0 | + | + | 0 | 0 | 0 | 1+ |
| 7 | 0 | 0 | 0 | + | + | 0 | + | 0 | + | 0 | 0 | + | 0 | + | + | + | + | 0 | 0 | 0 | 0 |
| 8 | 0 | 0 | + | + | + | + | 0 | + | 0 | + | 0 | 0 | + | 0 | + | + | 0 | 0 | 0 | 0 | 0 |
| 9 | + | + | 0 | 0 | + | 0 | + | 0 | + | 0 | 0 | + | 0 | + | + | 0 | 0 | 0 | 0 | 0 | 2+ |
| 10 | + | + | + | 0 | + | 0 | + | 0 | + | + | 0 | 0 | + | 0 | + | + | 0 | 0 | 0 | 0 | 0 |
| 11 | + | 0 | 0 | + | + | + | + | + | 0 | 0 | 0 | 0 | 0 | + | 0 | 0 | + | + | 0 | 0 | 1+ |
| Auto | | | | | | | | | | | | | | | | | | | 0 | 0 | 0 |

① Anti−Kp^a  ② Anti−Jk^b

③ Anti−Jsb  ④ Anti−S

⑤ Anti−P₁

## 46

다음은 항체동정검사를 실행한 결과로 동정되는 항체는 무엇인가?

| Cell | D | C | E | c | e | f | M | N | S | s | P₁ | Le^a | Le^b | K | k | Fy^a | Fy^b | Jk^a | Jk^b | IS | 37 | AHG |
|------|---|---|---|---|---|---|---|---|---|---|----|------|------|---|---|------|------|------|------|----|----|-----|
| 1 | 0 | + | 0 | + | + | + | + | + | + | + | + | + | 0 | 0 | + | + | + | + | 0 | + | 0 | 0 |
| 2 | + | + | 0 | 0 | + | 0 | 0 | + | 0 | + | + | 0 | + | 0 | + | 0 | + | + | 0 | 0 | 0 | 0 |
| 3 | + | + | 0 | 0 | + | 0 | + | 0 | + | + | + | 0 | + | + | + | + | 0 | + | + | 0 | 0 | 0 |
| 4 | + | 0 | + | + | 0 | + | 0 | + | 0 | + | + | + | 0 | 0 | + | + | + | + | + | + | 0 | 0 |
| 5 | 0 | 0 | + | + | + | + | 0 | + | 0 | + | 0 | + | 0 | 0 | + | 0 | + | + | + | + | 0 | 0 |
| 6 | 0 | 0 | 0 | + | + | + | + | 0 | + | 0 | + | 0 | + | 0 | + | 0 | + | + | 0 | 0 | 0 | 0 |
| 7 | 0 | 0 | 0 | + | + | + | + | + | + | + | + | + | 0 | 0 | + | 0 | 0 | + | + | 0 | 0 | 0 |
| 8 | 0 | 0 | 0 | + | + | + | + | 0 | + | 0 | + | + | 0 | + | 0 | 0 | 0 | + | 0 | 0 | 0 | 0 |
| 9 | 0 | 0 | 0 | + | + | + | 0 | + | 0 | 0 | + | 0 | 0 | 0 | + | 0 | + | + | + | + | 0 | 0 |
| 10 | 0 | 0 | 0 | + | + | + | + | 0 | 0 | + | 0 | 0 | 0 | + | 0 | 0 | 0 | + | 0 | + | 0 | 0 |
| 11 | 0 | 0 | 0 | + | + | + | 0 | + | 0 | + | 0 | 0 | + | 0 | + | + | + | + | + | 0 | 0 | 0 |
| Patient Typing | | | | | | | | | | | | | | | | | | | | 0 | 0 | 0 |

① Anti−N  ② Anti−s

③ Anti−Le^a  ④ Anti−Fy^a

⑤ Anti−Jk^b

# 47

다음은 불규칙항체 선별검사로 추정 가능한 항체는 무엇인가?

| Cell # | Rh-hr | | | | | | | | KELL | | | | | | DUFFY | | KIDD | | | LEWIS | | MNS | | | | | LUTH | | TEST RESULTS |
|---|---|---|---|---|---|---|---|---|---|---|---|---|---|---|---|---|---|---|---|---|---|---|---|---|---|---|---|---|---|
| | D | C | E | c | e | F | C^w | V | K | k | Kp^a | Kp^b | Js^a | Js^b | Fy^a | Fy^b | Jk^a | Jk^b | Xg^a | Le^a | Le^b | S | s | M | N | P₁ | Lu^a | Lu^b | AHG |
| 1 | + | + | 0 | 0 | + | 0 | 0 | 0 | 0 | + | 0 | + | 0 | + | + | + | 0 | 0 | + | + | 0 | + | 0 | + | 0 | + | 0 | + | 3+ |
| 2 | + | 0 | + | + | 0 | 0 | 0 | 0 | 0 | + | 0 | + | 0 | + | + | 0 | + | 0 | + | 0 | 0 | 0 | + | + | + | 0 | 0 | + | 3+ |
| 3 | 0 | 0 | 0 | + | + | 0 | 0 | 0 | + | + | 0 | + | 0 | + | 0 | + | + | + | + | + | 0 | + | + | + | + | +s | 0 | + | 3+ |

(Column headers: P₁ shown as $P_1$, Rh-hr superscripts $C^w$, KELL $Kp^a$, $Kp^b$, $Js^a$, $Js^b$, DUFFY $Fy^a$, $Fy^b$, KIDD $Jk^a$, $Jk^b$, $Xg^a$, LEWIS $Le^a$, $Le^b$, LUTH $Lu^a$, $Lu^b$)

① Anti−C

② Anti−e

③ Anti−Kp$^a$

④ Anti−Fy$^b$

⑤ Anti−M

# 48

다음은 불규칙항체 선별검사로 추정할 수 <u>없는</u> 항체는 무엇인가?

| | RH | | | | | | MNS | | | | LU | | P | Lewis | | Kell | | Duffy | | Kidd | | LISS (Test Tube) | | |
|---|---|---|---|---|---|---|---|---|---|---|---|---|---|---|---|---|---|---|---|---|---|---|---|---|
| | D | C | E | c | e | f | M | N | S | s | Lu^a | Lu^b | P₁ | Le^a | Le^b | K | k | Fy^a | Fy^b | Jk^a | Jk^b | IS | 37C | IAT |
| 1 | + | + | 0 | 0 | + | 0 | + | + | + | + | 0 | + | + | + | 0 | + | + | + | 0 | 0 | + | 0 | 0 | 2+ |
| 2 | + | 0 | + | + | 0 | 0 | + | 0 | + | 0 | 0 | + | + | 0 | + | 0 | + | + | + | + | 0 | 0 | 0 | 1+ |
| 3 | 0 | 0 | 0 | + | + | + | 0 | + | 0 | + | 0 | + | 0 | 0 | + | 0 | + | 0 | + | + | + | 0 | 0 | 0 |

① Anti−D

② Anti−M

③ Anti−Lu$^b$

④ Anti−P$_1$

⑤ Anti−Fy$^a$

## 49

다음 배지에서 mannitol이 비분해되는 균은 무엇인가?

① Staphylococcus epidermidis

② Staphylococcus aureus

③ Cryptococcus neoformans

④ Klebsiella pneumoniae

⑤ Streptococcus pneumoniae

## 50

다음 사진의 장치를 통해 배양 가능한 세균은 무엇인가?

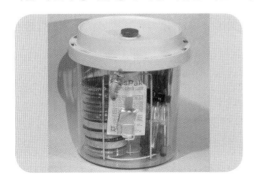

① Bacteroides

② Pseudomonas

③ Staphylococcus

④ Bacillus

⑤ Shigella

## 51

다음 사진은 Staphylococcus와 어떤 세균을 비교하기 위한 시험인가?

① Streptococcus

② Micrococcus

③ Enterococcus

④ Viridans

⑤ Neisseria

## 52

다음은 장알균 속의 NaCl broth 내성 시험이다. 몇 % NaCl broth를 사용하는가?

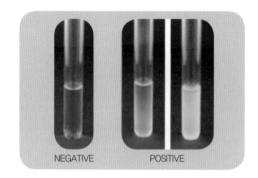

NEGATIVE    POSITIVE

① 2.0%

② 4.7%

③ 6.5%

④ 7.0%

⑤ 8.5%

## 53

다음은 세균의 운동성을 확인하기 위해 반고체 배지에서 실온 배양한 것으로 우산 모양을 형성하는 이 균은 무엇인가?

① Mycobacterium tuberculosis

② Actinomyces Israelii

③ Salmonella typhi

④ Neisseria gonorrhoeae

⑤ Listeria monocytogenes

## 54

다음은 TSI에서 H₂S가 생성된 모습으로 해당하는 그람양성 막대균은 무엇인가?

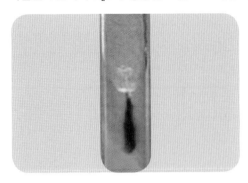

① Nocardia asteroides

② Neisseria gonorrhoeae

③ Listeria monocytogenes

④ Mycobacterium tuberculosis

⑤ Erysipelothrix rhusiopathiae

## 55

다음은 Klebsiella pneumoniae 균의 모습으로 어떤 배지에서 자란 집락인가?

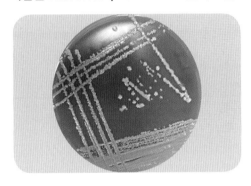

① Selenite F broth

② Tetrathionate broth

③ SS agar

④ EMB agar

⑤ MacConkey agar

## 56

다음 사진은 균을 배양 후 staphylococcus aureus를 획선 배양한 것으로 무엇과 관련있는가?

① 우주현상

② 독력현상

③ 위성현상

④ 환원능시험

⑤ IMVic test

## 57

다음은 인자 요구성 시험으로 X인자와 V인자 모두를 요구하는 균은 무엇인가?

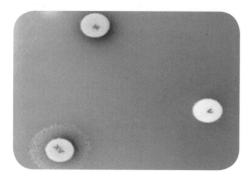

① Haemophilus influenza

② Haemophilus parahemolyticus

③ Bordetella pertussis

④ Legionella pneumophila

⑤ Haemophilus parainfluenza

## 58

다음은 L-cystieine 이 포함된 배지에서 자란 Legionella pneumophila 사진으로 어떤 배지에서 잘 자라는가?

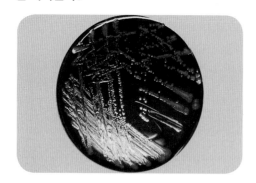

① Bordet-Gengou 배지

② Butzler 배지

③ Campy BAP 배지

④ BCYE 배지

⑤ Thayer-Martin 배지

## 59

다음 사진의 진균은 무엇인가?

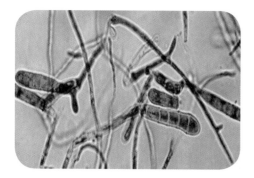

① Microsporum canis

② Microsporum gypseum

③ Trichophyton rubum

④ Epidermophyton floccosum

⑤ Blastomyces dermatitidis

## 60

*V. cholerae*와 *V. parahaemolyticus*를 감별해내는데 사용하는 아래의 배지는 무엇인가?

① PEA 배지

② BAP 배지

③ TCBS 배지

④ MacConkey 배지

⑤ XLD 배지

## 61

SDA에서 발육이 빠르고 솜털 모양의 집락을 보이며 대분생자수의 수가 많고 벽이 두껍고 돌기가
돌출된 그림의 진균은 무엇인가?

① Aspergillus terrus

② Microsporum gyseum

③ Microsporum canis

④ Penicillum notatum

⑤ Trichophyton rubrum

## 62

다음 기생충 검사법은 어떤 기생충란을 검출할 수 있는가?

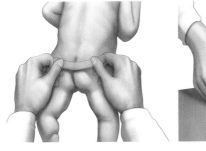  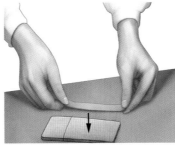

① 폐흡충란

② 간흡충란

③ 말라리아

④ 조충란

⑤ 편충란

## 63

다음은 Western blot 항체검사로 HIV 항원 검사와 관련된 P는 무엇인가?

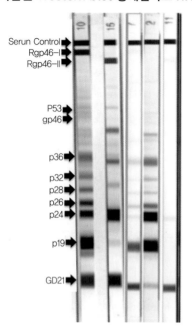

① P 19

② P 24

③ P 28

④ P 32

⑤ P 53

## 64

다음은 HLA 항원 검사를 시행할 때 Ficoll-Hypaque 용액을 이용하여 세포를 분리하는 방법으로 Granulocytes가 속한 부위는 어디인가?

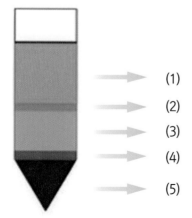

(1)

(2)

(3)

(4)

(5)

# 65

다음 사진은 연어로 어떤 기생충의 제2중간숙주인가?

① 유구조충

② 무구조충

③ 광절열두조충

④ 왜소조충

⑤ 방광주혈흡충

# 실전모의고사
# (실기편)
# 10회

## 01

다음 염색 사진은 Rhodanine stain으로 어떤 질병을 감별할 수 있는가?

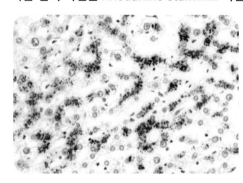

① 통풍

② 윌슨병

③ 고인산혈증

④ 간염

⑤ 빈혈

## 02

다음 염색법은 신경원섬유를 확인할 수 있는 것으로 어떠한 염색인가?

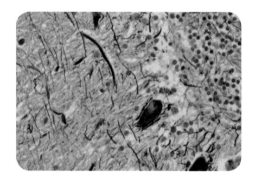

① Bielschowsky 동결절편 도은법

② Gross−Schultze 동결절편 도은법

③ Bodian 파라핀절편 도은법

④ Luxol fast blue stain

⑤ Solochromo cyanine stain

# 03

다음 염색법의 이름과 흑색으로 염색된 부위의 명칭이 바르게 조합된 것은 무엇인가?

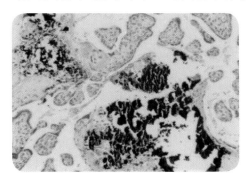

① H&E stain  –  뼈 조직

② Holzer stain  –  뇌세포

③ Von kossa stain  –  칼슘

④ Safranin O–fast green stain  –  칼슘

⑤ Alizaline red S stain  –  칼슘

# 04

다음은 면역화학적 검출법의 효소항체법 중 하나로 면역염색의 원리를 모식도한 그림이다.
어떤 방법인가?

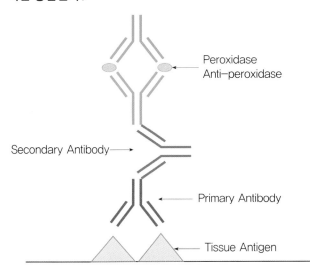

① ABC법

② PAP법

③ APAAP법

④ LSAB법

⑤ CSA법

## 05

다음은 면역화학적 검출법의 효소항체법 중 하나로 면역염색의 원리를 모식도한 그림이다.
어떤 방법인가?

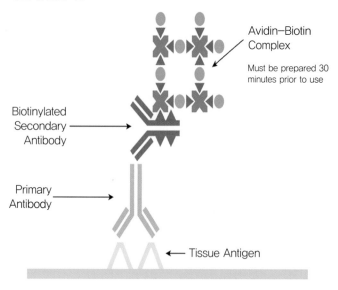

① ABC법

② PAP법

③ APAAP법

④ LSAB법

⑤ CSA법

## 06

다음 염색은 담즙색소를 검출하는 염색으로 염색법은 무엇인가?

① Gmelin reaction

② Stein reaction

③ Fouchet reaction

④ Turnbull blue reaction

⑤ Prussian blue reaction

## 07

다음 염색으로 증명할 수 있는 물질은 무엇인가?

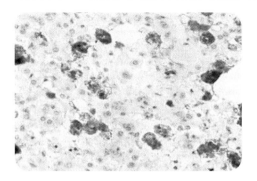

① 혈색소
② 담즙색소
③ 혈철소
④ 지방갈색소
⑤ 구리

## 08

다음은 H&E 염색 사진으로 어떤 장기인가?

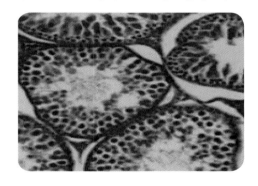

① 갑상샘
② 기관지
③ 고환
④ 난소
⑤ 정세관

## 09

다음 사진은 여성의 질의 H&E 염색 사진으로 확인할 수 있는 상피 조직은 무엇인가?

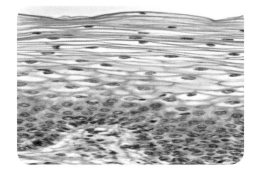

① 이행상피
② 중층편평상피세포
③ 중층입방상피세포
④ 거짓중층원주상피세포
⑤ 단층입방상피세포

## 10

다음은 H&E 염색 사진으로 화살표가 가리키는 세포는 무엇인가?

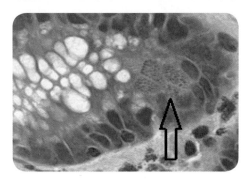

① 주세포

② 벽세포

③ 간질세포

④ 세르톨리세포

⑤ 파네트세포

## 11

다음 사진은 콩팥의 H&E 염색 사진으로 화살표가 가리키는 것은 무엇인가?

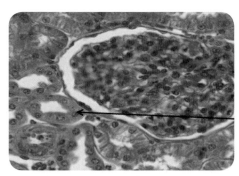

① 근위곱슬세관

② 원위곱슬세관

③ 헨레고리

④ 보우만주머니

⑤ 사구체

## 12

다음 사진의 세포는 무엇인가?

① 알터나리아

② 이주세포

③ 정자

④ 수복세포

⑤ 거대세포바이러스

## 13

다음 사진의 세포 특징은 무엇인가?

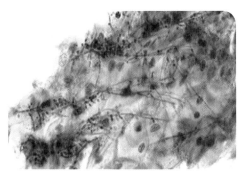

① 올챙이 모양
② 후막포자 형성
③ 핵소실
④ 자궁내 피임장치
⑤ 랑그한스 거대세포 출현

## 14

다음 사진은 바이러스 감염 세포 중 하나로 관련이 <u>적은</u> 것은 무엇인가?

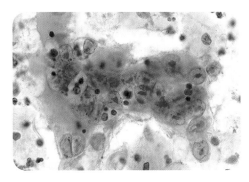

① 핵내 호산성 봉입체
② 단핵세포
③ 젖빛 유리모양
④ 핵 밀착
⑤ 두꺼운 핵막

## 15

다음 사진의 세포는 언제 관찰할 수 있는가?

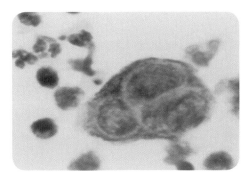

① 엽산결핍시
② 방사선 조사 후
③ 자궁내 피임장치 착용 후
④ 클라미디아 감염 여성
⑤ 임신부

## 16

다음은 부인과 세포 도말 표본으로 어느 병변으로 진단 할 수 있는가?

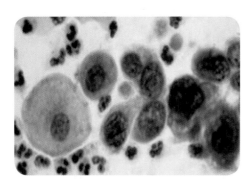

① BCC

② ASCUS

③ LSIL

④ HSIL

⑤ SCC

# 10회

# 임상화학검사

## 17

다음 사진에서 보이는 혈액으로 측정이 불가능한 항목은 무엇인가?

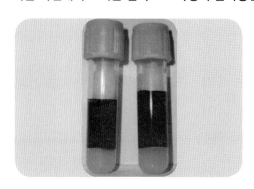

① sodium

② chloride

③ BUN

④ Potassium

⑤ NPN

## 18

다음 사진의 pipette은 어떠한 용도로 사용되는가?

① 점성이 있는 물질을 취할 때 사용한다.

② 호르몬 분석시 사용한다.

③ 정확한 량을 취할 때 사용한다.

④ 일정량의 수용액을 분주하거나 희석 혈청을 옮길때 사용한다.

⑤ 열을 가하여 질소를 정량할 때 사용한다.

## 19

다음은 분광광도계의 구조도를 나타낸 것으로 괄호 안에 들어갈 것은 무엇인가?

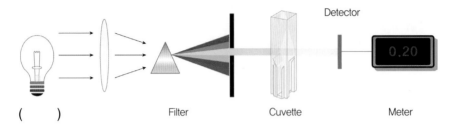

(　　)　　　　　　Filter　　　　Cuvette　　　　Meter

① 할로겐 램프

② 수은 램프

③ 텅스텐 램프

④ 중수소 방전관

⑤ 석영 램프

## 20

다음 그래프는 어떤 검사와 관련이 있는가?

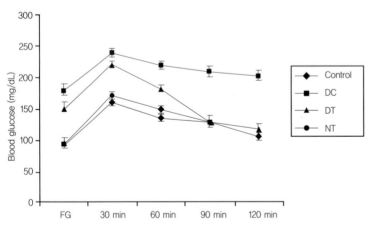

① Folin−wu법

② Somogyi−nelson법

③ 경구 포도당 부하 실험

④ HbA1c법

⑤ 양이온 교환수지법

# 21

다음 보기에서 정밀도가 가장 높은 그래프는 무엇인가?

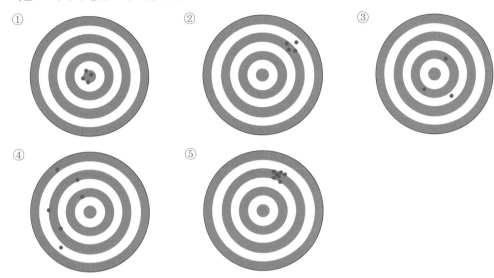

# 22

다음 정도관리 그래프에서 동그라미 친 부분은 무엇을 나타내는가?

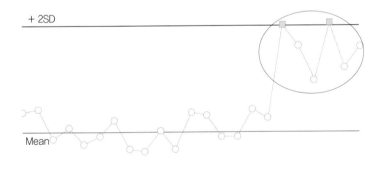

① Outlier

② Unrest

③ Trend

④ Shift

⑤ Action limit

## 23

다음 그래프는 우연오차와 계통오차를 동시에 파악할 수 있는 그래프로 무엇인가?

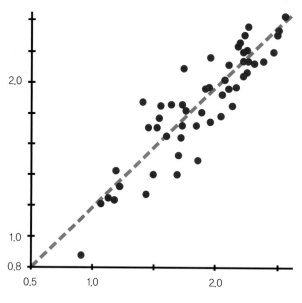

① $\overline{X}$-R 관리도

② 쌍치법

③ 누합법

④ 변동계수관리법

⑤ Westgard multirul

## 24

다음 그림의 전기영동상에서 transferrin은 어디에서 확인할 수 있는가?

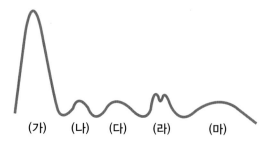

① 가

② 나

③ 다

④ 라

⑤ 마

## 25

다음 사진은 전기영동시 사용하는 barbital buffer (veronal buffer)로 용액의 pH는 얼마인가?

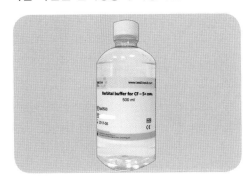

① pH 1.6

② pH 2.6

③ pH 5.6

④ pH 7.6

⑤ pH 8.6

## 26

다음 사진은 어떤 물질의 측정에서 생성된 종말색인가?

① Total protein

② BUN

③ Bilirubin

④ AST

⑤ CPK

## 27

다음 사진은 어떤 물질을 측정하였을 때 나타나는 종말색인가?

① Protein

② Calcium

③ Creatinine

④ Chloride

⑤ 무기인(P)

## 28

다음 요침사의 결정체는 임상적 의의는 없고 세균뇨에서 자주 관찰 가능한 것으로 무엇인가?

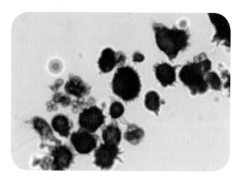

① Ammonium urate

② Calcium carbonate

③ Calcium oxalate

④ Cysteine

⑤ Sodium urate

## 29

다음은 요침사에서 관찰 가능한 원주로 무엇인가?

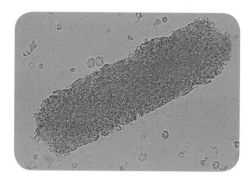

① 백혈구 원주

② 납양 원주

③ 지방 원주

④ 상피세포 원주

⑤ 과립 원주

## 30

다음 사진의 요침사에서 확인할 수 있는 것은 무엇인가?

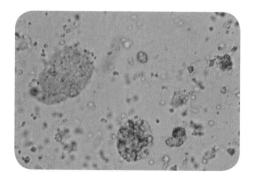

① Bilirubin

② Hemosiderin

③ Leucine

④ Cholesterol

⑤ Cysteine

# 31

다음 사진의 요침사로 어떤 질환을 의심할 수 있는가?

① 심장질환

② 간염

③ 결석

④ 신우신염

⑤ 패혈증

# 32

다음은 요의 전기영동상으로 Bence Jones protein이다. 어떤 질환을 의심할 수 있는가?

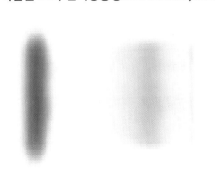

① 만성 사구체신염

② Fanconi 증후군

③ 악성빈혈

④ 다발성 골수종

⑤ 요로감염

## 33

다음 사진에서 보이는 세포의 출현으로 관련있는 질병은 무엇인가?

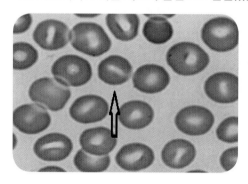

① 철결핍빈혈

② 지중해빈혈

③ Rh null 증후군

④ 거대적모세포 빈혈

⑤ 수외조혈

## 34

다음 사진의 화살표로 표시된 세포는 무엇인가?

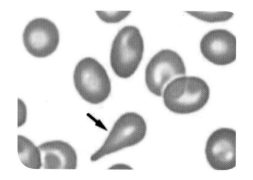

① 눈물적혈구

② 표적적혈구

③ 타원적혈구

④ 낫적혈구

⑤ 그물적혈구

## 35

다음 사진은 백혈구 세포질 이상으로 과립구와 비과립구에서 모두 출현하는 세포로 무엇인가?

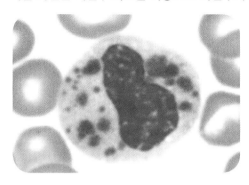

① Alder-Reilly anomaly

② May-Hegglin anomaly

③ Hypersegmented neutrophil

④ Vacuolization

⑤ Chediak- Higashi-Steinbrink anomaly

## 36

다음 사진은 백혈구의 세포질 이상으로 유전적 과립 이상 세포이다. 이 세포는 무엇인가?

① Chediak- Higashi-Steinbrink anomaly

② May-Hegglin anomaly

③ Alder-Reilly anomaly

④ Pelger-Hüet anomaly

⑤ Hypersegmented neutrophil

## 37

다음 사진의 세포는 어떠한 질환에서 관찰 가능한가?

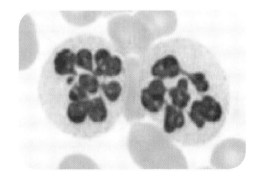

① 거대적아구성 빈혈

② 요독증

③ 유전질환

④ 부인과질환

⑤ 화상

## 38

37번 사진의 세포는 어떠한 세포에서 발현되는가?

① 호중구             ② 호산구

③ 호염기구          ④ 단구

⑤ 림프구

## 39

다음 사진의 세포에 대한 설명으로 옳지 <u>않은</u> 것은 무엇인가?

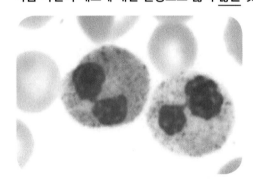

① 유전성 질환이다.

② 골수성 백혈병에서 관찰 가능하다.

③ 이 세포는 Pelger−Hüet anomaly 이다.

④ 호중구의 핵이상으로 나타난다.

⑤ 호중구의 세포질 이상으로 나타난다.

## 40

다음은 혈청으로 전기영동 시 관찰할 수 있는 결과로 붉은 색으로 표시된 질병은 무엇인가?

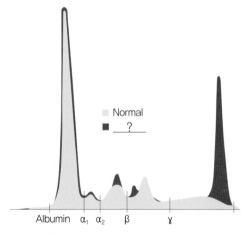

① 전신성 홍반 낭창증        ② 면역부전증

③ 다발성골수종            ④ 악성림프종

⑤ 만성골수구성 백혈병

# 41

다음 사진은 무엇을 하는데 사용되는 도구인가?

① 혈색소 측정
② 정맥채혈
③ 동맥채혈
④ 골수천자
⑤ 지혈검사

# 42

다음 사진과 관련된 검사는 무엇인가?

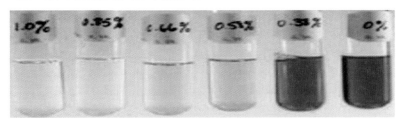

① 혈장 haptoglobin 측정  ② 혈색소뇨 측정

③ 삼투압 취약성 검사  ④ 혈소판 응집능 검사

⑤ Plasminogen 측정

# 43

다음은 불규칙항체 선별검사로 추정 가능한 항체는 무엇인가?

| Cell | D | C | c | E | e | k | Fyª | Fyᵇ | Jkª | Jkᵇ | Leª | Leᵇ | P₁ | M | N | S | s | RT | 37 | AHG |
|------|---|---|---|---|---|---|-----|-----|-----|-----|-----|-----|----|---|---|---|---|----|----|-----|
| 1 | 0 | 0 | + | 0 | + | 0 | 0 | 0 | + | 0 | 0 | + | + | 0 | + | 0 | + | 0 | 0 | 0 |
| 2 | 0 | 0 | + | 0 | + | 0 | 0 | + | + | 0 | + | 0 | + | + | + | + | + | 0 | 0 | 0 |
| 3 | + | 0 | + | + | 0 | 0 | + | 0 | + | 0 | 0 | + | 0 | + | + | + | + | 0 | 0 | 1+ |
| 4 | + | 0 | + | + | 0 | 0 | + | + | + | 0 | + | 0 | 0 | + | 0 | + | + | 0 | 0 | 2+ |

① Anti-C  ② Anti-e

③ Anti-Fyᵇ  ④ Anti-E

⑤ Anti-M

## 44

다음은 불규칙항체 선별검사로 추정 가능한 항체는 무엇인가?

| Cell | D | C | c | E | e | Cʷ | K | k | Kpᵃ | Kpᵇ | Jsᵃ | Jsᵇ | Fyᵃ | Fyᵇ | Jkᵃ | Jkᵇ | Leᵃ | Leᵇ | P₁ | M | N | S | s | Luᵃ | Luᵇ | Xgᵃ | IS | AHG | CC |
|---|---|---|---|---|---|---|---|---|---|---|---|---|---|---|---|---|---|---|---|---|---|---|---|---|---|---|---|---|---|
| 1 | + | + | 0 | 0 | + | 0 | + | + | 0 | + | 0 | + | + | + | + | 0 | 0 | + | 0 | + | 0 | + | 0 | 0 | + | + | - | 1+ | |
| 2 | + | 0 | + | + | 0 | 0 | 0 | + | 0 | + | 0 | + | 0 | + | + | + | + | 0 | 0 | + | + | + | 0 | 0 | + | + | - | 1+ | |
| 3 | + | + | 0 | 0 | + | + | 0 | + | 0 | + | 0 | + | + | + | + | 0 | 0 | + | 0 | + | 0 | + | 0 | 0 | + | + | - | 1+ | |
| 4 | + | 0 | + | 0 | + | 0 | 0 | + | 0 | + | 0 | + | + | 0 | + | 0 | 0 | 0 | 0 | + | 0 | + | + | + | + | + | - | 2+ | |
| 5 | 0 | + | + | 0 | + | 0 | 0 | + | 0 | + | 0 | + | + | 0 | 0 | + | 0 | + | 0 | + | 0 | 0 | + | 0 | + | 0 | - | 2+ | |
| 6 | 0 | 0 | + | + | + | 0 | 0 | + | + | 0 | + | 0 | + | 0 | + | 0 | + | 0 | + | 0 | + | 0 | + | 0 | + | + | - | 2+ | |
| 7 | 0 | 0 | + | 0 | + | 0 | 0 | + | 0 | + | 0 | + | + | 0 | 0 | + | 0 | + | 0 | + | 0 | 0 | + | 0 | + | 0 | - | 2+ | |
| 8 | 0 | 0 | + | 0 | + | 0 | + | 0 | + | 0 | 0 | + | 0 | + | + | 0 | 0 | + | + | + | + | 0 | + | 0 | + | + | - | 2+ | |
| 9 | + | + | 0 | + | 0 | 0 | 0 | + | 0 | + | 0 | + | + | 0 | + | 0 | + | 0 | + | 0 | + | 0 | + | 0 | + | 0 | - | 2+ | |
| 10 | + | + | + | 0 | + | 0 | 0 | + | 0 | + | + | + | 0 | 0 | + | 0 | 0 | + | + | + | + | + | + | 0 | + | + | - | 2+ | |
| 11 | 0 | 0 | + | 0 | + | 0 | 0 | + | + | + | 0 | + | + | 0 | 0 | + | 0 | + | + | 0 | + | + | + | 0 | + | + | - | 1+ | |
| Patient's cells | | | | | | | | | | | | | | | | | | | | | | | | | | | - | - | + |

① Anti−D

② Anti−k

③ Anti−Fyᵇ

④ Anti−Leᵃ

⑤ Anti−Luᵇ

## 45

다음 표와 관련 있는 것은 무엇인가?

| Procedure | MSBOS (TI×1.5) |
|---|---|
| Neurosurgery | |
|   CP angle tumor | 1.1 |
|   Cervical fixation | 0.4 |
|   Corpectomy | 0.7 |
|   Cranioplasty | 0.5 |
|   Craniotomy | 0.6 |
|   Cyst/tumor excision | 0.4 |
|   Decompression surgery | 0.7 |
|   Discectomy | 0.5 |
|   Elevation of depressed fracture | 1.0 |
|   Repair of anterior midline encephalocele | 1.5 |
|   TNTS surgery | 1.5 |
|   VP shunt | 0.7 |

① 혈액량 파악관리

② 혈액불출대장

③ 최대 혈액 신청량

④ 최소 혈액 신청량

⑤ 최적 혈액 신청량

# 46

다음 혈액제제를 수혈할 때 Hemoglobin 수치를 9.0g/dL에서 11.0g/dL까지 올리려고 한다.
몇 단위의 수혈을 받아야 하는가?

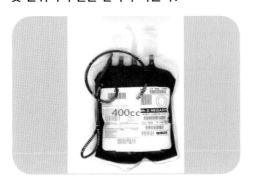

① 0.5 단위

② 1.0 단위

③ 2.0 단위

④ 2.5 단위

⑤ 3.0 단위

# 47

다음 사진의 혈액제제를 −18℃ 이하에서 보존하였다가 수혈하려고 할 때 해동 후 몇 시간 이내에
사용 가능한가?

① 1시간 이내

② 3시간 이내

③ 5시간 이내

④ 8시간 이내

⑤ 24시간 이내

# 48

다음 사진은 ABO 혈액형 검사의 판독 결과로 (가)와 (나)에 들어갈 시약으로 바르게 나열된 것은 무엇인가?

| | (가)___ | (나)___ | |
|---|---|---|---|
| A형 | | | |
| B형 | | | |
| AB형 | | | |
| O형 | | | |

① 가: 22% Bovine albumin시약      나: Anti-human globulin (AHG) 시약

② 가: anti-AB시약      나: anti-D시약

③ 가: anti-A시약      나: anti-B시약

④ 가: anti-AB시약      나: Anti-human globulin (AHG) 시약

⑤ 가: anti-A시약      나: anti-AB시약

# 임상미생물검사

## 49

다음 배지는 포도알균 동정에 사용되는 배지로 무엇인가?

① BAP

② CTA

③ Optochin disk

④ Mannitol salt agar

⑤ Staphylococcus medium No, 110

## 50

다음은 어떠한 배양 조건에서 사용되는 것인가?

① 절대산소성 배양

② 절대무산소성 배양

③ 미호기성 배양

④ 통성혐기성 배양

⑤ 탄산가스 배양

## 51

다음 사진은 어떤 반응을 나타낸 것인가?

① 산화
② 환원
③ 발효
④ 비활성
⑤ 이산화

## 52

다음 사진은 어떤 균을 배양한 배지인가?

① Corynebacterium diphtheriae
② Nocardia
③ Listeria monocytogenes
④ Actinomyces
⑤ Mycobacterium tuberculosis

## 53

다음 사진에서 보이는 세균은 Boold agar에서 어금니 모양의 집락을 형성하는 것으로 무엇인가?

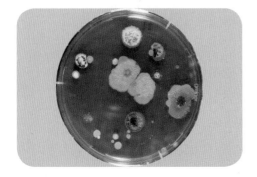

① Klebsiella pneumoniae
② Nocardia asteroides
③ Actinomyces Israelii
④ Moraxella catarrhaltis
⑤ Neisseria gonorrhoeae

# 54

다음 사진은 Mycobacterium tuberculosis를 염색한 것으로 어떤 염색을 사용하는가?

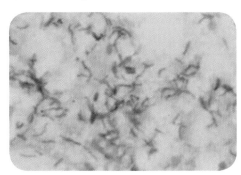

① 형광염색법

② Ziehl-neelsen법

③ 그람염색법

④ Albert stain법

⑤ Pap stain법

# 55

다음은 Haemophilus 균종의 인자 요구성 시험으로 사진의 V인자에 들어있는 성분은 무엇인가?

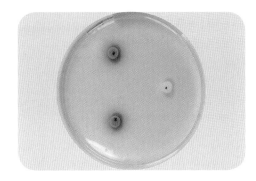

① NAD

② NADP

③ Hemin

④ Hematin

⑤ Influenzae

# 56

다음은 난황 배지에서 배양된 균으로 어떤 균을 예상할 수 있는가?

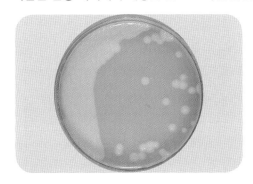

① Clostridium perfringens

② Clostridium tetani

③ Clostridium difficile

④ Clostridium aeruginosa

⑤ Vibrio cholerae

## 57

다음은 BAP 배지에서 이중 용혈을 보이는 무산소성 그람양성 막대균으로 무엇인가?

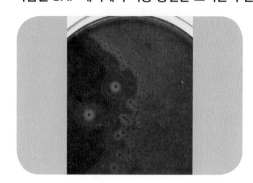

① Clostridium difficile

② Clostridium botulinum

③ Clostridium tetani

④ Clostridium perfringens

⑤ Bacteroides fragilis

## 58

다음 사진은 어떤 세균의 말단에 아포를 형성하여 북채 모양으로 보이는 것으로 무엇인가?

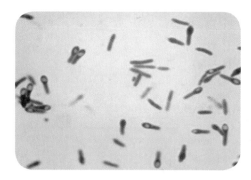

① Clostridium difficile

② Clostridium botulinum

③ Clostridium tetani

④ Clostridium perfringens

⑤ Bacteroides fragilis

## 59

다음은 어떤 진균을 37°C에서 혈청과 혼합하여 배양 후 염색한 것으로 무엇인가?

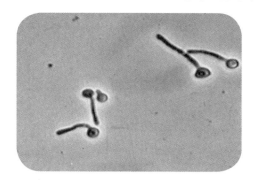

① Cryptococcus neoformans

② Trichophyton mentagrophytes

③ Candida albicans

④ Sporothrix schenkii

⑤ Penicillium

## 60

다음 사진은 Corynebacterium diphtheriae가 배양된 모습으로 이 균의 특징에 해당하는 것은 무엇인가?

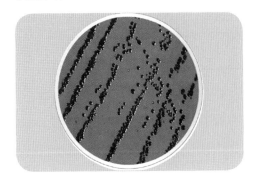

① 항산성균
② 통성혐기성
③ Catalase 음성
④ 균사 형성
⑤ 이염소체 존재

## 61

다음 사진은 어떤 기생충의 충란인가?

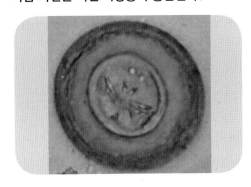

① 유구조충란
② 무구조충란
③ 왜소조충란
④ 쥐조충란
⑤ 광절열두조충란

## 62

다음은 기생충 검사법 중 어떤 검사를 나타내는가?

① 셀로판 후층 도말법
② MGL법
③ 충란배양법
④ A.M.S h법
⑤ 피내반응검사

## 63

다음 그림은 면역 글로불린 분자구조의 모형으로 항원 결합 부위는 어디인가?

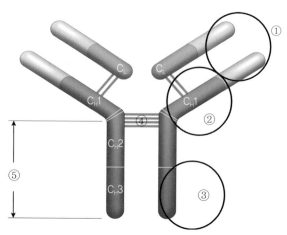

## 64

다음 사진의 검사는 무엇인가?

① RA test
② ANA test
③ AFP test
④ HCG test
⑤ CRP test

## 65

다음 사진의 기생충은 무엇인가?

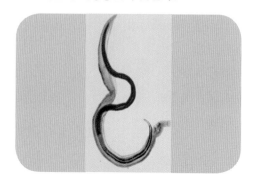

① 광절열두조충
② 왜소조충
③ 일본주혈흡충
④ 요꼬가와흡충
⑤ 쥐조충

정답 및 해설

실전모의고사
(실기편)
1회

# 1회 조직·세포병리검사

| | | | | |
|---|---|---|---|---|
| 01 ③ | 02 ② | 03 ① | 04 ⑤ | 05 ③ |
| 06 ④ | 07 ② | 08 ① | 09 ② | 10 ② |
| 11 ③ | 12 ③ | 13 ③ | 14 ③ | 15 ① |
| 16 ③ | | | | |

## 01

일반 조직 염색 표본 제작 과정 순서:

고정(fixation)→ 절취(gross cutting)→탈수(dehydrating)→투명(clearing)→파라핀 침투(paraffin infiltrating)→포매(embedding)→박절(microtomy)→염색(staining)→ 봉입(mounting)

## 02

글루탈알데히드(glutaraldehyde):

전자현미경 검사의 고정액으로 주로 사용됨. 미세구조 보존 효과가 뛰어남. 부피가 작은 조직에 주로 사용가능. 글루탈 알데히드와 함께 전자현미경 검사의 2차 고정액으로 사용되는 고정액은 사산화오스뮴 또는 오스뮴산 용액이다.

## 03

파라핀 침투시 사용되는 파라핀의 융점 온도는 보통 56~58°C로 파라핀 용해기의 온도는 이보다 2~3°C 높은 온도를 유지한다.

## 04

- 박절기
  - 회전형박절기: 칼이 고정되어 있고 Paraffin block이 아래 위로 이동하는 방식으로 작고 부드러운 조직에 적합하며 연속절편이 가능하여 다량의 표본만들때 유용하다.
  - 활주형박절기: 블록이 고정되어 있고 칼이 활주를 움직이는 형태로 파라핀이나 celloidin으로 경화시킨 블록등 크고 단단한 조직의 박절에 적합하다.
  - 동결절편기: 응급시 신속한 진단을 내릴때, 지질성분과 효소의 증명등에 사용되며 적절한 박절온도는 보통-15℃~ -23℃사이이다.
  - 초미세박절기: 전자현미경 표본제작에 사용되는 박절기로 매우 얇은 박절이 가능하다.

## 05

Paraffin block

장점
- 비교적 얇은 박절(6±2 ㎛)기능
- 표본제작 시간이 짧다(24시간).
- 연속절편가능(리본형성)
- Paraffin block 보관용이

단점
- 지질성분의 용해(지질은동결절편)
- 파라핀침투의 고온이 조직손상 초래
- 장시간 방치 시 조직이 뒤틀리고 단단해진다.
- 대형절편불가

## 06

Calcofluor white stain (카코플라워 화이트 염색):

진균 염색법 중 하나로 병원성 진균의 신속한 검출에 사용된다.

## 07

말로리 PTAH 염색 시에 Zenker 고정액을 사용하며 횡문근육종 진단에 유용하다.

## 10

터너 증후군(Turner syndrome):

난소 이상 발육으로 부모 중 한 명에서 X염색체의 비분리가 일어난다. 어머니쪽 O와 아버지쪽 X가 결합하여 XO가 된다. 염색체 핵형은 (45, XO) 를 나타낸다.

## 12

탈락세포학(exfoliative cytology) 채취부위:

탈락세포학은 자연탈락과 인위적인 탈락이 있는데 자연탈락은 조직 세포의 노화로 자연적으로 탈락된 검체인 요, 객담, 질분비물 등을 의미하며 인위적인 탈락은 점막 표면을 기구로 긁어서 탈락시키는 검체를 의미한다. 자궁속막, 기관, 기관지(객담), 질, 자궁목관, 구강, 식도, 위장관, 피부, 유방(분비물), 복막강(복수), 늑막강(흉수), 뇌척수액, 심낭 등이 채취 부위에 해당된다.

## 13

세포원심침전법(cytocentrifugation):

소량의 검체로 도말표본에서 유핵세포층을 얻기 어렵기 때문에 세포원심분리기를 이용한 세포원심침전법을 이용한다.

## 14
Papanicolaou stain의 핵염색에는 해리스 헤마톡실린 (Harris Hematoxylin)용액이 사용되고 세포질 염색에는 orange G-6와 eosin-azure (EA) 용액이 사용된다.

## 15
사진은 표층세포(superficial cell)이며 혈중 에스트로겐에 의해 성숙되어 혈중 에스트로겐의 농도가 가장 높은 시기인 배란기에 주로 관찰된다.

**1회    임상화학검사**

| | | | | |
|---|---|---|---|---|
| 17 ② | 18 ⑤ | 19 ⑤ | 20 ④ | 21 ② |
| 22 ④ | 23 ④ | 24 ⑤ | 25 ③ | 26 ① |
| 27 ① | 28 ③ | 29 ③ | 30 ① | 31 ③ |
| 32 ④ | | | | |

## 19
사진은 Ostwald pipette 으로 점성이 있는 물질이나 혈액을 취할 때 사용한다. Volumetric pipette과 비슷한 모양으로 팽대부가 pipette 아래 부분에 존재한다.

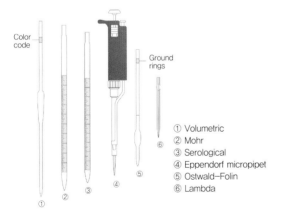

Color code

Ground rings

① Volumetric
② Mohr
③ Serological
④ Eppendorf micropipet
⑤ Ostwald-Folin
⑥ Lambda

## 20
Automatic absorption electro photometer (AAS):
원자흡광광도계, 구조는 광원-분무장치-burner-분광부-수광부-기록계로 구성된다. 그림에서 광원이 Hollow cathode lamp로 원자흡광광도계 라는것을 알 수 있다.
 – 원자흡광광도계의 광원; Hollow cathode lamp

 – 분광광도계의 광원: Tungsten lamp
 – 적외선광도계의 광원: Globar lamp, Nernst Glower lamp
 – 형광광도계의 광원: Xenon lamp
 – 염광광도계는 광원이 필요없다.

## 21
신뢰도:
정밀도와 정확도가 높을수록 신뢰도도 높아지고, 어느 하나가 좋지 않으면 신뢰도도 저하된다.

## 22
위의 그래프에서 동그라미 친 부분은 분석결과 값이 6~7회 이상 평균을 벗어나서 한쪽으로 치우치는 경우로 Shift 라고 한다.
 – Outlier(탈선): 한계선 밖으로 데이터의 점이 이탈 할 경우
 – Unrest(요동): 평균치를 중심으로 데이터의 변동폭이 큰 경우
 – Trend(경향): 분석결과 값이 6~7회 이상 지속적으로 상승하거나 하강하는 경우
 – Upward Trend: 결과값이 점차 상승하는 경우
 – Downward Trend: 결과값이 점차 하강하는 경우
 – Shift: 분석결과 값이 6~7회 이상 평균을 벗어나서 한쪽으로 치우치는 경우
 – Upward Shift: 결과값이 평균 위쪽으로 치우치는 경우
 – Downward Shift: 결과값이 아래쪽으로 치우치는 경우
 – Warning limit(경고 한계): ±2SD를 벗어난 경우
 – Action limit(처치 한계): ±3SD

## 24
그림은  단백질의 전기영동상으로 Gamma globulin이 증가한 상태이다. 다발성 골수종에 걸린 환자에서 볼 수 있는 분획이다.

## 25

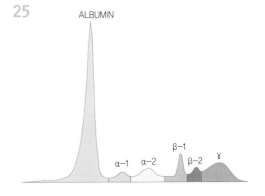

ALBUMIN

α-1    α-2    β-1    β-2    γ

## 26
Porter-Silber 반응은17-OHCS steroid hormone이 황산하에서 phenylhydrazine과반응하여 황색(yellow color)을 나타내는 것이다.

## 27
Berthelot 반응법의 BUN 측정법 중 하나로 Berthelot 반응 시약을 가하여 생성된 Indophenol을 비색 정량하는 방법으로 종말색은 blue color를 나타낸다.

## 30
요침사시 사용하는 요 방부제는 Formalin으로 세포성분 보존에 우수하며 Addis count에 사용된다.

## 31
Granular cast(과립 원주):
정상인에게서는 발견되지 않고 사구체신염이나 신우신염 같은 신장질환이 있는 경우에 관찰 가능하다.

**1회 혈액학검사**

| | | | | |
|---|---|---|---|---|
| 33 ③ | 34 ④ | 35 ③ | 36 ② | 37 ⑤ |
| 38 ① | 39 ④ | 40 ④ | 41 ⑤ | 42 ⑤ |
| 43 ② | 44 ③ | 45 ③ | 46 ④ | 47 ① |
| 48 ② | | | | |

## 33
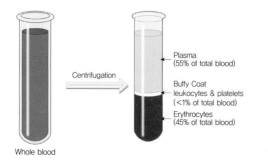

## 34
Schuffner's dots:
삼일열 말라리아의 원충이 적혈구내에 기생하고 있을 때 관찰 가능한 담홍색 반점이 보이는 과립

## 35
Heinz bodies:
혈색소의 변성 침전에 의해 생성되며 초생체 염색을 하거나 습윤표본상에서 확인 가능하다. G-6-PD 결핍증, 용혈성 빈혈 환자의 적혈구내 변성혈색소의 침전물로 주로 적혈구 막 가까이에 출현하여 관찰 가능하다.

## 36
Poikilocytosis(변혈적혈구):
철결핍성 빈혈에서 관찰 가능하며 적혈구 외에 모양이 서로 다른 형태 이상의 적혈구가 출현한다.

## 37
그래프는 적혈구 삼투압 취약성 검사를 나타낸 것으로 파란색 곡선은 유전성 구형 적혈구증가증, 가운데 회색 부분은 정상, 빨강색 곡선은 지중해성빈혈을 나타낸 것이다. 구형적혈구는 정상보다 취약성이 증가되어 정상보다 높은 농도의 식염수에서 용혈이 시작된다.

## 38
37번 문제 해설 참고

## 39
연속채혈시 채혈관 순서:
세균배양용 tube→Plain tube→Sodium citrate tube →SST tube→Heparin tube→EDTA tube→NaF tube

## 40
채혈도구:
지혈대, 진공채혈관 또는 Syringe, 알코올솜, 지혈용 밴드

## 41
혈액응고검사는 Sodium citrate tube를 사용한다.

## 42
혈액도말표본은 spreader의 미는 속도가 빠를수록 두껍고 느릴수록 얇아진다. Spreader의 각도가 클수록 두껍고 작을수록 얇게 도말된다.

## 43

A형의 항원결정기는 N-Acetyl-D-Galactosamine
B형의 항원결정기는 D-Galactose
H형의 항원결정기는 L-Fucose 이다.

## 44

사진은 적혈구 400CC 의 혈액제제로 보존온도는 1~6 $^\circ$C
이며 아래와 같이 표를 참고하시기 바랍니다.

〈개정2018. 11. 19.〉

### 혈액제제의보존기준 (제12조관련)

| 제제종류 | 보존온도 | 보존기간 | 비고 |
|---|---|---|---|
| 1. 전혈 | 1~6℃ | CPDA 보존액: 채혈 후 21일<br>CPDA-1 보존액: 채혈 후 35일<br>ADD/M(SAG/M) 보존액:<br>채혈 후 35일 | |
| 2. 농축적혈구 | 1~6℃ | 전혈과 동일 | |
| 3. 신선동결혈장 | -18℃이하 | 채혈 후 1년 | 해동 후 3시간<br>이내 사용. 다만,<br>1~6℃보관하는<br>경우 24시간까<br>지 사용가능 |
| 4. 농축혈소판 | 20~24℃ | 제조 후 120시간 | 보관시 교반 필요 |
| 5. 백혈구 제거<br>적혈구 | 1~6℃ | 제조 후 24시간<br>폐쇄형은 전혈과 동일 | |
| 6. 백혈구 여과제<br>거 적혈구 | 1~6℃ | 폐쇄형 여과는 전혈과 동일,<br>개방형 여과는 제조 후<br>24시간 | |
| 7. 세척적혈구 | 1~6℃ | 제조 후 24시간 | |
| 8. 동결해동<br>적혈구 | -65℃이하<br>동결, 해동<br>후1~6℃ | 제조 후 10년,<br>개방형은 세척 후 24시간,<br>폐쇄형은 세척 후 10일 | |
| 9. 농축백혈구 | 20~24℃ | 제조 후 24시간 | |
| 10. 혈소판풍부<br>혈장 | 20~24℃ | 제조 후 120시간 | 보관시교반필요 |
| 11. 백혈구여과<br>제거 혈소판 | 20~24℃ | 폐쇄용 여과는 농축혈소판과<br>동일<br>개방형 여과는 제조 후 24시<br>간 | 보관시교반필요 |
| 12. 세척혈소판 | 20~24℃ | 제조 후 4시간 | |
| 13. 신선액상혈장 | 1~6℃ | 제조 후 12시간 | |
| 14. 동결혈장 | -18℃이하 | 채혈 후 1년 | 해동 후 3시간<br>이내사용. 다만,<br>1~6℃보관하는<br>경우 24시간까<br>지 사용가능 |
| 15. 동결침전제제 | -18℃이하 | 채혈 후 1년 | 해동 후 1시간<br>이내사용. 다만,<br>20~24℃보관하<br>는 경우 6시간까<br>지 사용가능 |
| 16. 동결침전물제<br>거혈장 | -18℃이하 | 채혈 후 1년 | 해동 후 3시간<br>이내 사용. 다만,<br>1~6℃보관하는<br>경우 24시간까<br>지 사용가능 |
| 17. 성분채혈<br>적혈구 | 1~6℃ | 채혈 후 35일 | 혈액첨가제<br>사용 시 |
| 18. 성분채혈<br>백혈구 | 20~24℃ | 채혈 후 24시간 | |
| 19. 성분채혈<br>소판백혈구 | 20~24℃ | 채혈 후 24시간 | 보관시 교반 필요 |
| 20. 성분채혈<br>혈소판 | 20~24℃ | 제조 후 120시간 | |
| 21. 백혈구여과제<br>거성분채혈<br>혈소판 | 20~24℃ | 제조 후 120시간 | 보관시 교반 필요 |
| 22. 성분채혈혈장 | -18℃이하 | 채혈 후 1년 | |

## 45

사진은 농축혈소판 사진으로 제조 후 120시간 보존할 수
있으며 20~24 $^\circ$C에서 보존한다.
자세한 해설은 44번 문제를 참고하시기 바랍니다.

## 46

해설은 44번 문제를 참고하시기 바랍니다.

## 47

사진은 신선동결혈장 사진으로 채혈 후 1년동안 보존할
수 있으며 -18 $^\circ$C 이하에서 보존한다.
자세한 해설은 44번 문제를 참고하시기 바랍니다.

## 48

채혈백 종류

- 단일 채혈백 (Single blood bag): 전혈로 사용 할 혈
액
- 이중 채혈백 (Double blood bag): 적혈구 농축액과
혈장(혈소판풍부혈장 또는 신선동결혈장) 분리
- 삼중 채혈백 (Triple blood bag): 적혈구 농축액, 혈장,
혈소판 농축액 분리 (성분제제용)

## 1회 임상미생물검사

| | | | | |
|---|---|---|---|---|
| 49 ④ | 50 ② | 51 ④ | 52 ② | 53 ⑤ |
| 54 ① | 55 ③ | 56 ⑤ | 57 ④ | 58 ① |
| 59 ⑤ | 60 ③ | 61 ③ | 62 ③ | 63 ① |
| 64 ① | 65 ⑤ | | | |

### 49
편모는 세균에 운동성을 부여하는 기관으로 단백질로 구성된다.

### 50
Gelatinase test:
젤라틴 액화시험, 세균이 gelatinase를 생성하는지 확인하기 위한 검사법으로 Staphylococcus aureus에서 양성을 나타낸다.

### 51
DNase test:
DNase agar에 균 배양 후 1N HCl을 떨어뜨려서 집락 주위의 투명대 형성 유무를 관찰하는 검사법이다. 투명대를 형성하면 양성으로 Staphylococcus aureus는 DNase test에 양성을 보인다.

### 52
Mycobacterium tuberculosis(결핵균)은 3% ogawa 고형배지, 1% ogawa egg 고형배지, Lowenstein-Jensen egg 고형배지, 한천배지, 액체배지 등에서 배양하며 사진의 Lowenstein-Jensen egg 고형배지에서는 malachite green을 포함하는데 잡균제거의 목적으로 사용되며 glycerin은 건조방지를 위해 포함된다.

### 53
Optochin test:
Streptococcus pneumoniae(폐렴알균)과 viridans군(녹색연쇄알균)의 감별에 사용되는 검사로 균을 도말하고 표면에 5μg의 optochin disk를 올린 후에 배양한다. 결과로 18mm이상의 억제대가 보일 시 Streptococcus pneumoniae(폐렴알균)으로 판정한다.

### 54
Niacin test:
Mycobacterium tuberculosis는 Niacin test 양성으로 황색을 나타내며 Mycobacterium bovis는 음성으로 무색을 나타낸다.

### 55
MacConkey agar에서 Klebsiella pneumoniae는 lactose를 분해하여 분홍빛의 점성이 강한 집락을 형성한다.

### 56
※ TSI 배양에 따른 미생물
① A/A: E.coli, Klebsiella, Enterobacter, Serratia, Hanfnia, Proteus
② A/A (Gluose, Sucrose 발효): Yersinia enterocolitica
③ A/A, G, H: Citrobacter freundii, proteus vulgaris
④ K/A: Salmonella typhi, Shigella, morganella, P.rettgeri
⑤ K/A, G: Salmonella paratyphi-A
⑥ K/A, G, H: P.mirabilis, Salmonella, Citrobacter
⑦ K/A, H: Salmonella typhi
⑧ K/K: Pseudomonas, Acinetobacter, Alacligenes, Flavobacter

### 57
Clostridium perfringens가 대부분의 당을 발효하여 산과 가스를 생성하고 가스에 의해 붕괴시킨 것을 우유단백응고라고 한다. Stormy fermentation이라고도 한다.

### 58
Helicobacter pylori:
급성위염의 원인균으로 CLO test에서 양성(적색)을 보인다. Helicobacter pylori는 그람음성 막대균으로 강한 운동성을 보인다.

### 59
Mucor는 Rhizopus와 비슷한 형태로 Mucor는 뿌리가 없고 Rhizopus는 뿌리가 존재한다. 접합균류로 배양 시에 포자낭 포자와 무격벽 균사를 확인할 수 있다.

## 60

Sabouraud dextrose agar는 진균 배양시 가장 많이 사용하는 배지로 배지의 pH 는 5.6이다.

## 61

왜소조충란:

레몬모양으로 쥐조충란과 형태가 비슷하며 내부에 4~8개의 초자양 극사가 있는 차이가 있다. 2중 난각에 3쌍의 갈고리가 있는 육구유충을 내포한다.

## 62

두비니구충란:

난각이 얇고 무색투명한 난원형이다. 내부에 난세포가 여러 개로 분열된 형태를 보인다.

## 64

VDRL 검사 결과

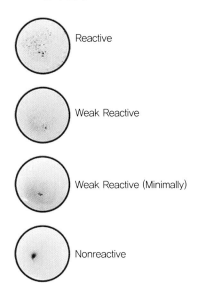

Reactive

Weak Reactive

Weak Reactive (Minimally)

Nonreactive

## 65

AIDS 검사법의 확인법인 western blot이다.

실전모의고사
(실기편)
2회

## 2회  조직·세포병리검사

### 01
동결절편 제작에 사용되는 전기냉동박절기(Cryostat) 사진으로 포매제는 OCT compound 를 사용한다.

### 02
- Bouin sol
  - 조성: Picric acid + formalin conc + glacial acetic acid(G.A.A)
  - Picric acid 영향으로 노란색을 띰
  - Masson's trichrome 염색 시 조직 고정에 우수
  - 골수조직의 탈회과정 고정액으로 사용

### 04
초미세박절기(ultramicrotome):
박절 시 특수 제작된 유리칼 또는 다이아몬드칼을 사용하며 전자현미경 검사에 필요한 초미세절편을 제작하기 위해 설계된 박절기이다. 블록재물대 위에 저배율의 쌍안 현미경이 부착되며 설치는 진동이 없고 항온과 항습장치가 갖추어진 장소에 설치한다.

### 05
사진의 기계는 조직포매장치로 침투과정이 끝난 후에 진행되는 포매 과정에 사용된다.

### 06
핵산을 가수분해하면 DNA의 퓨린염기가 분리되면서 알데히드가 되는데 이 알데히드에 쉬프시약(shiff reagent)이 반응하여 Feulgen 색소 복합체를 만드는 반응을 Feulgen reaction 이라고 하며 DNA에 적자색으로 특이적인 염색 반응을 보인다.

### 07
PAMS (Periodic acid methenamine silver) 염색법:
사구체기저막 염색으로 PAS 염색보다 우수하며 요세관염

관찰이 가능하다. 바닥막의 구성성분 중 다당류의 1,2glycol기를 과요오드산으로 산화하여 디알데히드를 유리시킨 후 알데히드를 이용하여 methenamine-silver를 흑색으로 환원시키는 은거울반응에 기초한 염색이다. Dubos-Brazil (DB, 드보스크-브라질) 고정액 사용이 좋은 결과를 나타내며 이 염색은 전자현미경 초미세박절표본에도 활용 가능하다.

### 09
간세포 내에 간의 지방 성분(트리글리세라이드)이 축적되어 발생되며 지방 공포들은 간세포의 핵을 밀고 있다. 조직의 제작과정에서 지방의 용해로 투명한 공간이 남게 되어 사진처럼 보이게 된다.

### 12
세침천자흡인세포학(Fine needle aspiration cytology, FNAC):
인체의 내에 병소가 있을 경우 인체 밖으로 연결된 통로의 부재로 세포 검체를 얻을 수가 없어서 가는 침(Fine needle)을 음압 상태로 삽입하여 세포를 채취하는 방법이다. 갑상샘, 유방, 침샘, 림프절, 전립샘 등이 있다.

### 14
Cytomegalovirus(CMV, 거대세포바이러스):
감염된 세포의 핵 내에는 호염기성의 봉입체가 형성되며 그 주위가 투명하여 부엉이의 눈을 연상시킨다. 핵 염색질은 핵막으로 이동하여 진하게 염색된다.

### 15

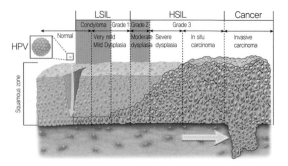

### 16
Herpes simplex virus(HSV, 단순포진 바이러스):
다핵세포이며 두꺼운 핵막을 갖고 핵 밀착의 특징을 갖는다. 염색질 과립의 증가 상태로 핵 내 호산성 봉입체가 출현하며 젖빛 유리모양을 나타낸다.

## 2회 임상화학검사

## 18

Color (Additive)

| | |
|---|---|
| Red<br>(None) | |
| Red Marble Top or Gold<br>(Clot activator and gel for serum separation) | |
| Light Blue<br>(Sodium Cirtate) | |
| Green<br>(Sodium Heparin or Lithium Heparin) | |
| Lavender<br>(EDTA–ethylenediamine tetraacetic acid) | |
| Gray<br>(Potassium Oxalate/Sodium Fluoride or Sodium Fluoride) | |

## 19

Auto pipette은 미량을 취할 때 사용하는 pipette으로 끝에 tip을 끼워 사용하며 용량에 있어서 가변형과 고정형이 있다.

## 20

Separatory funnel:

호르몬 17-KS, 17-OHCS 분석 검사시 추출 과정에서 사용되는 분액깔때기(분별깔때기) 이다.

## 22

- 원자흡광광도계의 광원; Hollow cathode lamp
- 분광광도계의 광원: Tungsten lamp
- 적외선광도계의 광원: Globar lamp, Nernst Glower lamp
- 형광광도계의 광원: Xenon lamp
- 염광광도계는 광원이 필요없다.

## 23

정확도: 검사결과의 값이 얼마나 목표에 가까운가를 나타낸다.

정밀도: 검체를 반복하여 측정했을 때 모여진 검체가 얼마나 서로 가까이 있는지를 나타낸다.

## 24

위의 그래프에서 동그라미 친 부분은 분석결과 값이 6~7회 이상 지속적으로 상승하거나 하강하는 경우이며 결과값이 점차 상승하는 경우로 Upward Trend 라고 한다.

- Outlier(탈선): 한계선 밖으로 데이터의 점이 이탈 할 경우
- Unrest(요동): 평균치를 중심으로 데이터의 변동폭이 큰 경우
- Trend(경향): 분석결과 값이 6~7회 이상 지속적으로 상승하거나 하강하는 경우
- Upward Trend: 결과값이 점차 상승하는 경우
- Downward Trend: 결과값이 점차 하강하는 경우
- Shift: 분석결과 값이 6~7회 이상 평균을 벗어나서 한쪽으로 치우치는 경우
- Upward Shift: 결과값이 평균 위쪽으로 치우치는 경우
- Downward Shift: 결과값이 아래쪽으로 치우치는 경우
- Warning limit(경고 한계): ±2SD를 벗어난 경우
- Action limit(처치 한계: ±3SD

## 26

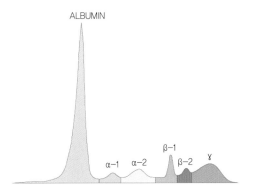

## 27

단백질 염색액:

Amido black 10B, Ponceau S, Brom phenol blue, Nigrosine, Lissamine green, Azocarmine, Coomassie brillian blue 등이 사용되며 사진의 염색액은 Amido black 10B 이다.

## 28
알부민 측정법 중 BCG법으로 알부민은 Biuret 반응으로 얻어진 청자색 복합체에 pH 4.2에서 BCG 시약과 반응하여 녹색의 종말색을 나타낸다.

## 29
Diazo 반응(Van den Bergh 반응)은 Bilirubin에 diazo 시약을 반응하여 적자색을 나타내는 반응이다. Diazo 시약의 성분은 Sulfanilic acid, Sodium nitrite, HCl 이다.

## 31
사진은 요 비중계 (Refractometer)이다.

**2회    혈액학검사**

| 33 ② | 34 ② | 35 ① | 36 ③ | 37 ⑤ |
| 38 ② | 39 ⑤ | 40 ② | 41 ① | 42 ⑤ |
| 43 ④ | 44 ⑤ | 45 ① | 46 ⑤ | 47 ③ |
| 48 ② | | | | |

## 33
혈액의 구성
(1) 혈장성분(Plasma) : 혈액성분의 약 55%를 차지하는 액체성분
   - 혈장이 담황색으로 보이는 것은? 적혈구에 포함되어 있던 혈색소가 적혈구의 파괴로 인하여 생긴 빌리루빈때문이다.
   - 혈장(Plasma)과 혈청(Serum)의 차이는? Fibrinogen(섬유소원)의 유무이다.
(2) 세포성분: 혈액의 약 45%를 차지하는 고형성분
   ① Buffy coat layer: WBC, Platelets
   ② 세포성분에는 7종류의 혈액 세포가 존재한다.
      → 적혈구, 호중구, 호산구, 호염기구, 림프구, 단구, 혈소판
   ③ 혈구분포의 비- 적혈구: 백혈구: 혈소판= 500: 1: 30

## 34
Pappenheimer bodies:
성숙혈구에 나타날 때 Siderocyte라 하며, 적아구에 나타나면 Sideroblast라고 한다.
Prussian blue stain시 적혈구나 적아구의 세포질 내에 푸른 색의 과립 출현으로 감별하며 Wright stain 에서는 청자색 반점으로 보이는 철 성분을 말한다. 납중독, 용혈성 빈혈, 비장기능 저하 시에 관찰 가능하다.

## 35
Myeloblast (골수모구)
- 크기 : 15~20㎛
- 핵 : 둥글고 한쪽으로 편재, 핵소체 2~5개
- 염색질 : 섬세하면서 고르게 분포, 색은 적자색 (purple)
- N/C ratio = 7 : 1
- 과립백혈구의 가장 어린 단계이며 과립은 없다. Peroxidase 음성

## 36
Myelocyte(골수세포, 골수구):
특이적인 2차 과립이 출현하면서 호중구, 호산구, 호염기구로 분류된다

## 37
자동 CBC 분석기로 측정 가능한 항목:
WBC, RBC, Hb, Hct, PLT, WBC diff, RBC index-(MCV, MCH, MCHC)

## 38
Routine CBC 검사는 EDTA 혈액 튜브를 사용해야 한다.

| Color (Additive) | |
| --- | --- |
| Red (None) | |
| Red Marble Top or Gold (Clot activator and gel for serum separation) | |
| Light Blue (Sodium Cirtate) | |
| Green (Sodium Heparin or Lithium Heparin) | |
| Lavender (EDTA—ethylenediamine tetraacetic acid) | |
| Gray (Potassium Oxalate/Sodium Fluoride or Sodium Fluoride) | |

## 39

Heparin tube:

Anti-thrombin 작용으로 항응고 시키며 삼투압취약성검사 및 혈액가스 (blood gas) 측정시 사용한다.

| | |
|---|---|
| EDTA염 | ① 말초혈액검사에 가장 널리 사용되는 이상적인 항응고제<br>② Ca$^{++}$제거 : 혈중의 유리 calcium ion을 chelation 결합에 의해 제거하므로 응고 방지 역할 함<br>③ Diff, count 가능<br>④ EDTA 항응고제를 함유한 혈액은 실온에 6시간 이상 방치할 경우 적혈구가 팽창되어 적혈구 침강속도는 감소, 적혈구 용적률은 증가함 |
| 이중수산염<br>(Double oxalate) | ① Pot.oxalate(적혈구용적수축) : Amm.oxalate(팽창)<br>= 2 : 3으로 구성<br>② Ca$^{++}$제거하여 혈액 응고 억제<br>③ 혈소판 응집으로 혈소판 수 측정에 부적당하고, 백혈구의 변성이 빠르게 일어나 거의 사용하지 않음 |
| 구연산 나트륨<br>(Trisodium citrate) | ① 주로 혈액응고인자 검사에 이용<br>② Ca$^{++}$제거하여 혈액응고억제<br>③ 응고계 검사에서 3.2% Sod.citrate 1 : 9 비율로 혼합 사용<br>④ ESR 검사에 사용(westergren법) |
| 헤파린<br>(Heparin) | ① 가장 생리적이고, 이상적인 항응고제<br>② 적혈구 용혈 방지 능력이 뛰어남<br>③ 가장 적은 양으로 가장 많은 양의 혈액의 응고 방지<br>④ antithrombin 기능이 있어서 응고검사에는 사용 불가<br>⑤ 적혈구 삼투압 저항시험, 혈액 가스분석, 배양, 혈액 내 암모니아 검사 등에 사용 |
| ACD<br>(Acid-citrate dex-trose) | ① Dextrose 첨가로 적혈구의 보존 양호<br>② 용혈 검사, 수혈용 혈액에 이용 |

## 40

Hemoglobin 측정시 Cyanmet hemoglobin법에서 사용하는 파이펫은 Sahli pipette으로 용적은 20 $\mu$L 이고 희석배수는 251배이다.

## 41

Drabkin's 용액은 Hemoglobin 측정 시 Cyanmet hemogloin검사법에서 사용하는 용액으로 총 5mL를 사용하며 NaHCO$_3$, KCN, K$_3$Fe(CN)$_6$, DW를 포함한다.

〈혈색소 농도 측정(Hb)〉

① 목적 : 빈혈과 적혈구 증가증 진단

② 방법 : Direct matching법, Acid hematin법, Alkali hematin법, Oxy-Hb법, Cyanmet-Hb법 등

· Cyanmet hemoglobin법

　- 측정원리 : Hb+K$_3$Fe(CN)$_6$ → Met-Hb

Met-Hb +KCN → Cyanmet-Hb(pink color)

　- 측정과정 : Cyanmet-Hb의 pink color를 540nm에서 Drabkin's 용액을 Blank로 사용하여 흡광도 측정

　- Drabkin's 용액(pH 8.6) - Sod. bicarbonate 1.0g
　　　　　　　　　　　　　- Pot. ferricyanide 0.2g
　　　　　　　　　　　　　- Pot. cyanide 0.05g
　　　　　　　　　　　　　- DW

　- 희석배수: Drabkin's 용액 5㎖+Blood 0.02㎖
　　→ 251배희석

## 42

Hemoglobin 측정시 Cyanmet hemoglobin 법에서 분광광도계로 흡광도를 측정하는데 540 nm에서 측정한다.

## 43

사진의 혈액제제는 농축혈소판으로 실온에서 보관하며 유효기간은 제조 후 120시간이다.

## 44

Platelet agitator:

혈소판 농축액을 보존하는 기기로 보존온도는 실온이며 수평으로 흔들어 보존한다.

## 45

위의 기기는 혈액 방사선(감마선)조사기이다. 수혈하기 전에 혈액을 방사선 조사시켜서 혈액제제에 포함된 T림프구의 기능을 억제하여 수혈에 의한 이식 편대 숙주병을 (TA-GVHD) 예방하기 위하여 진행한다. 방사선조사는 Cesium 137을 보통 사용한다.

## 46

해설은 45번 문제를 참고하시기 바랍니다.

## 48

건강진단관련요인

가. 체중이 남자는 50 kg 미만, 여자는 45 kg 미만인 자

나. 체온이 섭씨 37.5°를 초과하는 자

다. 수축기 혈압이 90 mm (수은주압) 미만 또는 180 mm (수은주압) 이상인 자

라. 이완기 혈압이 100 mm (수은주압) 이상인 자

마. 맥박이 1분에 50회 미만 또는 100회를 초과하는 자

| 49 ③ | 50 ① | 51 ② | 52 ④ | 53 ② |
| 54 ② | 55 ④ | 56 ② | 57 ③ | 58 ② |
| 59 ④ | 60 ② | 61 ② | 62 ⑤ | 63 ④ |
| 64 ③ | 65 ④ | | | |

|  | glucose | maltose | sucrose | lactose |
|---|---|---|---|---|
| Neisseria gonorrhoeae | + | − | − | − |
| Neisseria meningitidis | + | + | − | − |
| Neisseria sicca | + | + | + | − |
| Neisseria lactamica | + | + | − | + |

## 49

그람염색:

염색순서로 Crystal violet→Lugol's iodine→Acetone-alcohol→Safranin O로 Crystal violet과 Safranin O는 시약으로 쓰이고, Lugol's iodine은 매염제, Acetone-alcohol은 탈색제로 쓰인다.

## 50

Gelatinase test:

젤라틴 액화시험, 세균이 gelatinase를 생성하는지 확인하기 위한 검사법으로 Staphylococcus aureus에서 양성을 나타낸다.

## 51

Bile-esculin test는 Enterococcus(장알균), D군 사슬알균(S.bovis)에서 양성을 나타내는 검사로 Bile(담즙) 존재 하에 발육할 수 있는 세균이 배지에서 자라고 배지에 함유된 철분과 결합하여 흑색으로 변화한다.

## 52

Optochin test: Streptococcus pneumoniae(폐렴알균)과 viridans균(녹색연쇄알균)의 감별에 사용되는 검사로 균을 도말하고 표면에 5μg의 optochin disk를 올린 후에 배양한다. 결과로 18mm이상의 억제대가 보일 시 Streptococcus pneumoniae(폐렴알균)으로 판정한다.

## 53

CTA test (cysteine trypticase agar test):

Neisseria균종의 확인을 위한 시험으로 glucose, maltose, sucrose, lactose 당을 분해하는 균에 따라 Neisseria 균종을 감별할 수 있다.

CTA 배지를 사용하며 당을 이용할 경우 배지의 상층이 황색으로 변한다.

[GLUCOSE MALTOSE SUCROSE LACTOSE / Neisseria gonorrhoeae / Neisseria meningitidis / Neisseria sicca / Neisseria lactamica]

## 54

Niacin test:

Mycobacterium tuberculosis는 Niacin test 양성으로 황색을 나타내며 Mycobacterium bovis는 음성으로 무색을 나타낸다.

## 55

Escherichia coli:

보통한천배지에서 잘 자라고 EMB 배지에서 녹색의 금속성 광택을 나타낸다. MacConkey 배지에서는 분홍색 집락을 형성한다.

## 56

Serratia marcescens는 lactose 비분해균으로 MacConkey agar에서 무색이어야 하나 적색색소(prodigiosin)을 생성하여 적색 집락을 형성한다.

## 57

Urea Breath Test(요소 호기 시험):

인체 무해한 $^{14}$C를 첨가한 Urea 용액을 마시면 Helicobacter pylori가 있는 피검자는 $^{14}$CO$_2$를 생성하여 숨쉴 때 배출되어 Helicobacter pylori를 측정하는 시험이다.

## 58

Borrelia recurrentis:

Giemsa, Wright stain으로 관찰 가능한 나선형의 균체로 이(louse)가 물어서 재귀열을 유발하는 균이다.

## 59

Sabouraud dextrose agar는 진균 배양시 가장 많이 사용하는 배지로 배지의 pH 는 5.6이다.

## 60

Corona virus:

전자현미경 관찰 시에 태양 또는 왕관 모양을 볼 수 있으며 곤봉형의 표면 돌기를 가진다. 메르스, 사스 등이 이에 속한다.

## 61

요충란:

작은 감씨 모양으로 한쪽 면은 편평하고 난각은 2개층이다. 외막은 키틴막이고 안에는 자충포장란이 산란해있다.

## 62

편충란:

레몬모양으로 난각이 두껍고 3개층이다. 양끝에 점막전이 존재한다.

## 63

Direct coomb's test:

직접 쿰스 검사, 생체 내에서 적혈구에 Ig G나 보체가 부착되어 있는지를 확인하는 검사로 환자의 적혈구를 세척하여 항글로불린 혈청을 가했을 때 적혈구에 Ig G나 보체가 부착되어 있는 경우에 응집이 일어난다.

## 65

ANA 간접면역형광 염색 pattern

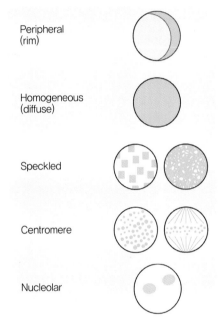

Peripheral (rim)

Homogeneous (diffuse)

Speckled

Centromere

Nucleolar

실전모의고사
(실기편)
3회

# 3회 조직·세포병리검사

01 ②  02 ④  03 ⑤  04 ⑤  05 ④
06 ④  07 ①  08 ③  09 ②  10 ③
11 ②  12 ③  13 ①  14 ①  15 ⑤
16 ⑤

## 01
편광현미경으로 관찰 가능한 세포:
아밀로이드, 근섬유, 아교섬유, 섬모 등

## 03
조직 고정의 목적:
자가 융해 방지, 조직 손상 방지, 미생물에 의한 부패 방지, 조직 내 화학 물질의 용해 및 소실 방지, 염색에 대한 매염 작용

## 04
EMR(내시경 점막절제술)
위장관 생검의 종류 중 하나로 병소 부위를 올가미로 잡아 절제하는 방법이다. 검체를 채취하여 고정 후 줄기를 관통하도록 중심부에서 조직편을 평행하게 절단하여 표본을 제작한다.

## 05
위(Stomach)의 절취법:
검체를 큰굽이(greater curvature)를 가위로 절개하여 고르크판에 잘 펴서 곤충핀으로 고정한다. 병변의 중앙을 관통하는 작은굽이(lesser curvature)에 평행하게 절취하며 절편의 폭은 약 5mm 정도로 한다.

## 06
MG-P stain:
형질세포의 증명에 유영하게 사용되는 염색으로 RNA는 피로닌에 의하여 적색으로 DNA는 메틸그린에 의하여 청록색으로 염색된다.

## 07
아크리딘 오렌지(Acridine orange) 형광염색:
핵 내의 DNA는 녹색형광을 나타내고, RNA는 적색형광을 나타낸다.

## 10
경색 부위:
뇌, 심장, 콩팥, 지라(비장), 폐, 위장관

## 11
Kwashiorkor: 단백열량 부족증
Marasmus: 영양결핍증 중 소모증

## 12
사진은 ThinPrep법을 이용한 액상세포도말법으로 솔을 사용하여 검체를 채취한 후에 보존액에 담아 분산시켜서 단층으로 도말표본을 제작하는 방법이다. 세포 중첩이 없고 vial 내에 검체가 보존되어 반복적으로 표본제작이 가능하다.

## 13
자궁목의 편평-원주경계부위
(Squamo-columnar junction, SCJ):
변형대(transformation zone, Tz) 라고도 불리우는 이 부위는 해부학적으로 가장 약한 부위이고 염증과 암이 가장 많이 발생하는 곳으로 검체 채취 부위이다.

## 14
사진은 표층세포(superficial cell)이며 혈중 에스트로겐에 의해 성숙되어 혈중 에스트로겐의 농도가 가장 높은 시기인 배란기에 주로 관찰된다.

## 15
간질세포(Stromal cell):
자궁 속막 세포는 표면 상피세포, 샘상피세포, 간질세포, 이주세포가 있으며 간질세포는 표층간질세포와 심층간질세포로 구분된다.
- 표층간질세포: 핵은 단핵, 편재성, 뚜렷한 과립상 염색, 세포질에 공포를 가지고 호청성이다.
- 심층간질세포: 핵은 난원형, 굵은 과립상의 염색질, 세포질은 호청성이다.

## 16
Gardnerella vaginalis (clue cell, 실마리 세포):
편평상피세포의 세포질 내에 구간균이 존재한다.

## 3회 임상화학검사

| | | | | |
|---|---|---|---|---|
| 17 ⑤ | 18 ① | 19 ② | 20 ④ | 21 ① |
| 22 ② | 23 ⑤ | 24 ③ | 25 ④ | 26 ④ |
| 27 ⑤ | 28 ② | 29 ④ | 30 ④ | 31 ⑤ |
| 32 ③ | | | | |

### 19
사진의 기구는 Auto burette이다. chloride 분석 때 Schales and Schales 법에서 사용하는 뷰렛으로 적정하여 농도를 구할 때 사용한다.

### 20
Bilirubin은 직사광선에 불안정하다.

### 21
- 원자흡광광도계의 광원; Hollow cathode lamp
- 분광광도계의 광원: Tungsten lamp
- 적외선광도계의 광원: Globar lamp, Nernst Glower lamp
- 형광광도계의 광원: Xenon lamp
- 염광광도계는 광원이 필요없다.

### 22
정확도: 검사결과의 값이 얼마나 목표에 가까운가를 나타낸다.
정밀도: 검체를 반복하여 측정했을 때 모여진 검체가 얼마나 서로 가까이 있는지를 나타낸다.

### 23
위 그래프는 Downward Trend를 나타낸 것으로 표준액이 농축되거나 시약의 오염으로 발생한다.
- Outlier(탈선): 표준액의 오염, 검체의 오염, 분석기기의 오염, 부정확한 용량, 부정확한 희석, calibration의 불량 등
- Unrest(요동): 기술 미숙, 기사의 빈번한 교체
- Upward Trend: 표준액의 희석, 시약의 오염
- Downward Trend: 표준액의 농축, 시약의 오염

- Upward Shift: 시약의 오염, 항온조 온도 상승, 표준액의 희석, 타이머 시간이 길 경우, 희석기와 분주기 부피가 클 경우
- Downward Shift: 시약의 오염, 항온조 온도 하강, 표준액의 농축, 타이머 시간이 짧을 경우, 희석기와 분주기 부피가 작은 경우

### 24
단백질 염색액:
Amido black 10B, Ponceau S, Brom phenol blue, Nigrosine, Lissamine green, Azocarmine, Coomassie brillian blue 등이 사용되며 사진의 염색액은 Ponceau S 이다.

### 25
간경화는 전기영동상 $\beta \sim \gamma$ bridge가 형성되는 특징을 보인다.

### 27
Fiske subbarow 법은 무기인에 발색시약인 ammonium molybdate와 환원제인 ANSA 시약을 반응하여 청색(blue color)을 나타내는 것이다.

### 29
납양 원주(waxy cast):
amyloid 질환이나 신장 질환 시 관찰 가능하다.

### 30
시험지 검사항목:
pH, Glucose, Protein, Ketone체, Bilirubin, Urobilinogen, WBC, RBC, 아질산염, 비중

## 3회 혈액학검사

| | | | | |
|---|---|---|---|---|
| 33 ③ | 34 ① | 35 ④ | 36 ① | 37 ③ |
| 38 ④ | 39 ④ | 40 ④ | 41 ② | 42 ⑤ |
| 43 ④ | 44 ⑤ | 45 ① | 46 ③ | 47 ③ |
| 48 ② | | | | |

## 33
태생기 조혈 순서

난황주머니 (태생 10일경)→간 (태생 2개월)→비장→골수 (태생 4개월)→림프절

## 34
Cabot ring:

적혈구 내 자색의 8자형 고리로 방추사 잔존물 또는 적혈구 세포질의 인공산물이다.

## 35
Metamyelocyte(후골수구)

- 크기: 10~15μm
- 핵: 약간 함몰되어 kidney shape
- 세포질: Specific granule
- 염색질: 더욱 clump
- N/C ratio= 1.5: 1

## 36
- 호중구: 핵은 보통 3~5개로 분엽된 상태로 세포질은 가늘고 미세한 2차 과립으로 구성되며 도회색을 띤다.
- 호산구: 핵은 대부분 2분엽이 많고, 세포질은 크기가 크고 굵은 2차 과립으로 핑크색을 띈다.
- 호염기구: 핵의 형태가 불분명하고 세포질은 2차 과립으로 짙은 암청색을 띄며 건강인의 백혈구에서 약 1% 정도 출현한다.

## 37
사진에서 보이는 세포는 Auer body로 급성골수성백혈병 (AML)에서 관찰 가능하다.

## 38
9번 염색체에는 ABL유전자가 존재하고 22번 염색체에는 BCR유전자가 존재한다. 이 9번 염색체와 22번 염색체가 전위(translocation)를 일으켜서 t(9;22), Philadelphia 염색체를 만든다. 이 Philadelphia 염색체는 전위의 결과로 BCR/ABL 융합유전자가 존재한다.

Philadelphia 염색체는 진단적 가치가 있어서 CML 진단에 유용하다.

만성 골수구성 백혈병 (Chronic myelocytic leukemia, CML)

- 말초혈액상 빈혈, 백혈구 수 현저히 증가, 호중구의 alkaline phosphatase 활성 저하
- 골수상 염색체 분석에서 Philadelphia 이상염색체가 약 85% 발견

## 39
거핵구(Megakaryocyte):

크기가 약 30~100 μm로 골수 중에 보이는 혈구 중에 가장 큰 세포이다. 거핵세포계의 성숙단계에서 가장 마지막 단계이고 거핵구 한 개에서 생성되는 혈소판 수는 1,500~4,000개 정도 된다.

## 40
사진은 혈색소를 측정할 수 있는 분석장치로 one-step 혈색소 측정기이다.

## 41
HbA1C (당화혈색소)를 측정하는 기계로 당화혈색소는 당뇨를 판정하는 지표가 된다.

## 42
적혈구 용적 검사시에 Wintrobe 법(Macro hematocrit 법), Microhematocrit법, 적혈구계산법이 있는데 사진은 Microhematocrit법에서 사용하는 Micro hematocrit centrifuge 이다.

적혈구 용적 측정(Hematocrit, Hct)

① 의의 : 혈액에 포함되어 있는 적혈구의 용적 비율(혈액량 100에 대한 적혈구의 백분율)로 빈혈이나 적혈구 증가증의 진단에 이용
② 원리 : 내경이 좁은 시험관에 혈액을 넣고 원심분리하면 비중이 큰 적혈구가 먼저 가라앉는 원리를 이용하여 적혈구 용적 측정
③ Micro hematocrit법 (Capillary법)
- 11,000rpm ~ 12,000rpm에서 5분 원심 침전
- Capillary tube : 길이- 75mm, 내경- 1.1~1.2mm, 눈금- 50mm

## 43

황산동법은 용기에 50ml의 황산동 용액을 넣고 용액 위에서 혈액 한 방울을 떨어뜨려 혈액이 16초 이내에 바닥으로 가라앉으면 헌혈적격자로 판단하는 것으로 혈액 비중 검사에 해당한다.

## 44

혈소판 성분채집술(Plateletpheresis):
혈액성분분리기를 이용하여 채취한 혈액에서 혈소판 성분만을 분리하는 기계이다.

**3회  임상미생물검사**

| 49 ② | 50 ① | 51 ③ | 52 ⑤ | 53 ③ |
| 54 ② | 55 ④ | 56 ⑤ | 57 ② | 58 ⑤ |
| 59 ⑤ | 60 ③ | 61 ④ | 62 ③ | 63 ⑤ |
| 64 ④ | 65 ① | | | |

## 49

고체배지(solid medium)는 한천이 1.5% 포함된 배지를 의미한다. 액체배지는 한천을 포함하지 않으며 반고체배지는 0.2~0.5 % 한천이 함유된다.

## 50

coagulase test:
Staphylococcus aureus와 Coagulase-negative Staphylococcus (CNS) 감별시 사용되는 검사로 Staphylococcus aureus는 양성을 보인다.

## 51

DNase test:
DNase agar에 균 배양 후 1N HCl을 떨어뜨려서 집락 주위의 투명대 형성 유무를 관찰하는 검사법이다. 투명대를 형성하면 양성으로 Staphylococcus aureus는 DNase test에 양성을 보인다.

## 52

Bile-esculin test는 Enterococcus(장알균), D군 사슬알균(S.bovis)에서 양성을 나타내는 검사로 Bile(담즙) 존재 하에 발육할 수 있는 세균이 배지에서 자라고 배지에 함유된 철분과 결합하여 흑색으로 변화한다.

## 53

A disk는 0.04 unit의 Bacitracin disk이다. Streptococcus pyogenes균을 BAP 표면에 바른 후 disk를 얹어 놓은 후 배양 시에 disk 주변으로 15~20mm 억제대가 형성되어 감수성을 나타낸다.

## 54

CTA test (cysteine trypticase agar test):
Neisseria균종의 확인을 위한 시험으로 glucose, maltose, sucrose, lactose 당을 분해하는 균에 따라 Neisseria 균종을 감별할 수 있다.

| | glucose | maltose | sucrose | lactose |
|---|---|---|---|---|
| Neisseria gonorrhoeae | + | – | – | – |
| Neisseria meningitidis | + | + | – | – |
| Neisseria sicca | + | + | + | – |
| Neisseria lactamica | + | + | – | + |

## 55

Escherichia coli:
보통한천배지에서 잘 자라고 EMB 배지에서 녹색의 금속성 광택을 나타낸다. MacConkey 배지에서는 분홍색 집락을 형성한다.

## 57

Serratia marcescens는 lactose 비분해균으로 MacConkey agar에서 무색이어야 하나 적색색소(prodigiosin)을 생성하여 적색 집락을 형성한다.

## 58
### Proteus 균종:
일반 보통한천배지에서 잘 자라고 BAP 에서 유주현상 (swarming phenomenon)을 관찰할 수 있다. Proteus vulgaris와 proteus mirabilis 는 모두 이러한 유주현상을 나타내며 Proteus vulgaris는 Indole test에서 양성을 나타내고 proteus mirabilis는 Indole test에서 음성을 나타낸다.

## 59
### 슬라이드 배양 (Slide culture):
진균의 균사 또는 포자를 관찰하기 위한 검사법으로 습윤한 조건을 만들어서 배지 조각을 배양하여 검경한다.

## 60
### Rabies virus:
광견병, 총알 모양의 바이러스로 동물에서 사람으로 주로 타액을 통해 전파된다.

## 61
### 대장 아메바:
Lugol's iodine 염색 시 대장 아메바의 포낭형은 8핵성을 나타내며 이질 아메바는 4핵성을 나타낸다.

## 62
### 질편모충:
영양형만 존재하고 4개의 편모가 존재한다. 여성의 질이나 남성의 요도, 방광, 전립선 등에서 검출한다.

## 63
교반기(Rotator)는 VDRL 반응에 사용되며 180 rpm에서 4분간 혼합한다.

## 64
### RPHA:
역수신 적혈구 응집반응, HBs Ag 정성 검사, 고정한 닭 적혈구에 HBs 특이 항체를 흡착하여 혈액 중에 HBs Ag 와 반응하여 혈구 응집을 확인하는 방법이다.

## 65

Homogeneous type    Speckled type    Nuclear type

실전모의고사
(실기편)
4회

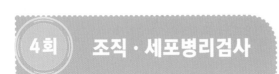

# 4회 조직·세포병리검사

| | | | | |
|---|---|---|---|---|
| 01 ② | 02 ③ | 03 ④ | 04 ⑤ | 05 ⑤ |
| 06 ④ | 07 ⑤ | 08 ① | 09 ① | 10 ③ |
| 11 ④ | 12 ⑤ | 13 ④ | 14 ④ | 15 ④ |
| 16 ③ | | | | |

## 01

포름알데히드는 물에 잘 녹기 때문에 37~40%의 수용액인 포르말린으로 판매된다. 포르말린 수용액을 고정액으로 사용할 경우 10%가 되도록 희석하여 사용하는데 10% 포르말린은 포름알데히드가 37~40% 함유된 포르말린 원액을 100%로 간주하여 포르말린원액 1: 물 9의 비율로 희석한 %를 가리키는 것으로 10% 포르말린이란 3.7~4.0% 포름알데히드 수용액을 의미한다.

## 02

관류고정:
혈관을 통하여 생체의 특정장기 등의 국소부위 및 전신을 고정하기 위한 방법으로 동물의 큰 혈관이나 심장속으로 삽입관을 넣어 고정액을 직접 주입하며 주입 부위로는 상행대동맥, 복대동맥, 좌심실 등이다.

## 03

파라핀 포매 기구:
침투과정이 끝난 조직은 위의 사진의 기구 embedding mold, base mold, tissue cassette를 사용하여 포매한다.

## 04

사진의 화살표로 표시된 곳은 조직포매장치(tissue embedding center)의 가온실로 60°C 로 유지한다.

## 05

PAMS stain은 Dubosq-Brazil 용액을 고정액으로 사용하는 것이 이상적이다.

## 06

박절 칼의 종류
- 평면-쐐기형: 양쪽 모두 편평하며 가장 많이 사용된

다. 블록에 상관없이 박절에 모두 사용된다.
- 평면-만곡형: 한쪽은 평면이고 다른 한쪽은 오목하게 들어간 칼로 주로 셀로이딘 박절에 사용된다.
- 양면-만곡형: 양쪽이 모두 오목하게 들어간 형으로 주로 파라핀 블록의 박절에 사용된다.
- 끌형: 주로 비탈회 뼈 조직 박절에 사용된다.

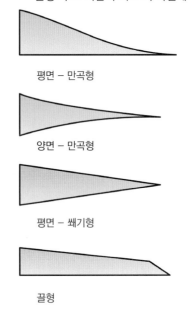

평면 – 만곡형

양면 – 만곡형

평면 – 쐐기형

끌형

## 07

Alcian blue – PAS stain:
acid mucins와 neutral mucins를 구분해주며 mucin의 존재를 증명하는 보편적 방법으로 acid mucins은 청색, neutral mucins은 적자색으로 염색된다.

## 09

응고괴사:
뇌를 제외한 모든 조직에서 발생 가능하고 특히 심장과 콩팥에서 많이 관찰된다. 괴사 중 가장 흔히 발생하는 형태이고 조직학적 특징으로 핵은 사라지고 세포질은 호산성으로 변하며 수일 간 세포의 윤곽은 보존되어 형태학적으로 관찰할 수 있다.

## 10

에드워드 증후군:
18 삼염색체증 (trisomy 18)으로 18번 염색체가 3개 존재하여 나타난다. 보통 한살 이전에 사망하며 염색체 핵형은 (47, XX, +18) 또는 (47, XY, +18)로 나타난다.

## 11
인체 위장벽:

점막층 (안쪽) – 점막밑층 – 근육층 – 장막층 (바깥쪽)

## 12
ThinPrep process:

세포분산→세포수집→세포이전

## 13
사진의 기구는 Endocervical brush (자궁목솔) 이다.

## 14
보트형 세포(주상 세포, navicular cell):

임신 중이거나 혈중 프로게스테론이 증가될 때 세포질 내 당원(glycogen)이 침착 되어 핵이 한쪽으로 편재되는 보트형 세포가 출현한다.

## 16
Torulopsis glabrata:

캔디다 종에 속하는 진균으로 일측성 출아(unilateral gemmation)를 가진 포자가 출현하는 특징이 있다.

4회　임상화학검사

| 17 ① | 18 ① | 19 ④ | 20 ③ | 21 ⑤ |
| 22 ② | 23 ② | 24 ③ | 25 ⑤ | 26 ③ |
| 27 ④ | 28 ③ | 29 ⑤ | 30 ④ | 31 ⑤ |
| 32 ④ | | | | |

## 17

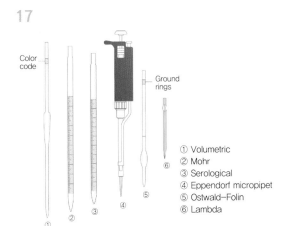

Color code

Ground rings

① Volumetric
② Mohr
③ Serological
④ Eppendorf micropipet
⑤ Ostwald–Folin
⑥ Lambda

## 18
Cholesterol과 CRP는 식사에 영향을 받지 않는 검사 항목이다.

## 19
Pipette을 사용하여 시험관에 용액을 옮길 때는 시험관 기벽에 대고 흘러내리도록 한다.

## 22
- 원자흡광광도계의 광원; Hollow cathode lamp
- 분광광도계의 광원: Tungsten lamp
- 적외선광도계의 광원: Globar lamp, Nernst Glower lamp
- 형광광도계의 광원: Xenon lamp
- 염광광도계는 광원이 필요없다.

## 24
위 그래프는 Downward Shift 를 나타낸 것으로 시약의 오염, 항온조 온도 하강, 표준액의 농축, 타이머 시간이 짧을 경우, 희석기와 분주기 부피가 작은 경우 등으로 발생한다.
- Outlier(탈선): 표준액의 오염, 검체의 오염, 분석기기의 오염, 부정확한 용량, 부정확한 희석, calibration의 불량 등
- Unrest(요동): 기술 미숙, 기사의 빈번한 교체
- Upward Trend: 표준액의 희석, 시약의 오염
- Downward Trend: 표준액의 농축, 시약의 오염
- Upward Shift: 시약의 오염, 항온조 온도 상승, 표준액의 희석, 타이머 시간이 길 경우, 희석기와 분주기 부피가 클 경우
- Downward Shift: 시약의 오염, 항온조 온도 하강, 표준액의 농축, 타이머 시간이 짧을 경우, 희석기와 분주기 부피가 작은 경우

## 26
Zimmermann 반응은 알칼리하에17-KS steroid hormone이m-dinitrobenzene 시약과 반응하여 적자색을 나타낸다.

## 29
방사성 동위원소 취급표시의 그림으로 방사선 폐기물, 방사선 구역을 표시할 때 사용한다.

## 31
24시간 요의 보존제로 가장 좋은 것은 toluene이다.

## 32
녹색과 청록색을 띠는 요는 Indican이 원인이 되며 세균 감염과 관련이 있다. 변비나 장폐쇄 같은 장의 내용물이 정체되는 경우 또는 복막염 같은 장내 이상분해의 경우에 증가된다.

**4회  혈액학검사**

| | | | | |
|---|---|---|---|---|
| 33 ⑤ | 34 ④ | 35 ② | 36 ③ | 37 ③ |
| 38 ④ | 39 ② | 40 ④ | 41 ③ | 42 ① |
| 43 ① | 44 ② | 45 ② | 46 ① | 47 ② |
| 48 ④ | | | | |

## 34
호염기성 반점(Basophilic-stippling):
암청색의 호염기성 반점으로 Ribosome RNA의 집합체이다. 건강한 성인에게서 관찰이 드물고 납중독, 거대적모세포 빈혈, 지중해성 빈혈 등에서 관찰 가능하다.

## 35
- 호중구: 핵은 보통 3~5개로 분엽된 상태로 세포질은 가늘고 미세한 2차 과립으로 구성되며 도회색을 띈다.
- 호산구: 핵은 대부분 2분엽이 많고, 세포질은 크기가 크고 굵은 2차 과립으로 핑크색을 띈다.
- 호염기구: 핵의 형태가 불분명하고 세포질은 2차 과립으로 짙은 암청색을 띄며 건강인의 백혈구에서 약 1% 정도 출현한다.

## 36
해설은 35번 문제를 참고하시기 바랍니다.

## 37
Hb H crystal:
일반 도말 표본에서는 관찰이 불가능하고 초생체 염색에서 관찰 가능하다.

## 38
ALL-L3:
골수상 특징으로 모세포는 큰 세포형태이며 세포질은 푸른 색이 강한 호염기성을 지닌다. 세포질 내에 공포가 특징이다.
급성 림프구성 백혈병(Acute lymphocytic leukemia)
- 말초혈액상 림프아구 60% 이상 차지, 적혈구 정구성, 정색소성, 빈혈, 혈소판 감소
- 골수 중에 림프아구 우세
- 형태학적으로 L1, L2, L3로 분류

## 39
핵소체는 처음에 출현했다가 성숙할수록 소실된다.

## 40
사진의 pipette은 적혈구 pipette으로 눈금이 101 mark로 표시되며 mixing bulb에 붉은색 볼이 들어있는 특징이 있다.
〈적혈구 수 산정(RBC count)〉
① 의의 : 혈액에 포함되어 있는 적혈구의 수 산정
② 방법
- 수기법(Manual method): 희석용 Pipette에 0.5까지 혈액을 흡입하고, 101 눈금까지 희석액 흡입(200배 희석)하여 혼합 한 후에 혈구계산판에 주입. 계산판의 구획 부분을 현미경으로 검경하여 적혈구 수 계수(처음에 100배로 관찰하다가 배율을 400배로 옮겨서 중구획 5개 R속에 들어있는 적혈구를 계수 → 각 중구획 20개 이상 차이나면 다시 실시)

## 41
〈백혈구 수 산정(WBC count)〉
① 의의 : 혈액에 포함되어 있는 백혈구의 수 산정 산정하기 전에 희석액으로 모든 적혈구를 용혈
② 방법
- 수기법: 희석용 Pipette에 0.5까지 혈액을 흡입하고 11눈금까지 희석액 흡입(20배 희석)하여 혼합 한 후에 계산실에 주입. 약 2분 동안 세포를 가라앉힌 후 100배 또는 200배로 현미경 검경하여 백혈구 수 계수 (네 귀퉁이의 대구획, 즉 W구획을 계수하여 평균을 내고 50배하면 1㎕ 내의 백혈구 수가 됨)

## 42
사진은 적혈구 수와 백혈구 수를 계산할 때 사용되는 혈구계산반(Neubauer chamber)이다.

## 43

위 사진은 Platelet agitator with incubator로 혈소판을 보관한다. 보관온도는 20~24°C로 실온보관이다.

## 45

혈액은행 검사에 사용되는 식물 응집소
- anti-A1 : Dolichos biflorus
- anti-B : Evonymus sieboldiana
- anti-H : Ulex europaeus

## 46

혈액은행 검사에 사용되는 식물 응집소
- anti-A1 : Dolichos biflorus
- anti-B : Evonymus sieboldiana
- anti-H : Ulex europaeus

**4회    임상미생물검사**

| 49 ③ | 50 ① | 51 ③ | 52 ④ | 53 ① |
| 54 ④ | 55 ④ | 56 ③ | 57 ② | 58 ⑤ |
| 59 ② | 60 ③ | 61 ① | 62 ① | 63 ② |
| 64 ① | 65 ③ | | | |

## 49

원인 불명의 열이 발생할 경우에 혈액 배양을 통하여 균을 분리하고 원인을 알아낸다.

## 50

coagulase test:

Staphylococcus aureus와 Coagulase-negative Staphylococcus (CNS) 감별시 사용되는 검사로 Staphylococcus aureus는 양성을 보인다.

## 51

DNase test:

DNase agar에 균 배양 후 1N HCl을 떨어뜨려서 집락 주위의 투명대 형성 유무를 관찰하는 검사법이다.. 투명대를 형성하면 양성으로 Staphylococcus aureus는 DNase test에 양성을 보인다.

## 52

Bacitracin disk 감수성 검사법:

β-용혈성 사슬알균 A군과 B군을 동정하기 위한 시험이다. BAP 표면에 균을 바르고 0.04unit의 Bacitracin disk를 얹은 후 배양시에 disk 주변으로 15~20mm 억제대가 형성되어 감수성을 나타냄으로 A군 사슬알균을 동정할 수 있다. Streptococcus pyogenes가 감수성을 나타낸다.

## 53

CTA test (cysteine trypticase agar test):

Neisseria균종의 확인을 위한 시험으로 glucose, maltose, sucrose, lactose 당을 분해하는 균에 따라 Neisseria 균종을 감별할 수 있다.

CTA 배지를 사용하며 당을 이용할 경우 배지의 상층이 황색으로 변한다.

| | glucose | maltose | sucrose | lactose |
|---|---|---|---|---|
| Neisseria gonorrhoeae | + | – | – | – |
| Neisseria meningitidis | + | + | – | – |
| Neisseria sicca | + | + | + | – |
| Neisseria lactamica | + | + | – | + |

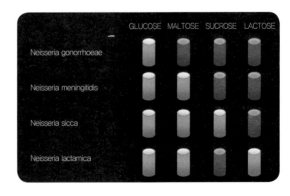

## 54

Neisseria gonorrhoeae:

임균, 임질균으로 남성의 요도 검체를 그람 염색하면 위의 형태가 관찰된다.

## 55

※ TSI 배양에 따른 미생물

① A/A: E.coli, Klebsiella, Enterobacter, Serratia, Hanfnia, Proteus

② A/A (Gluose, Sucrose 발효): Yersinia enterocolitica

③ A/A, G, H: Citrobacter freundii, proteus vulgaris

④ K/A: Salmonella typhi, Shigella, morganella, P.rettgeri

⑤ K/A, G: Salmonella paratyphi-A

⑥ K/A, G, H: P.mirabilis, Salmonella, Citrobacter

⑦ K/A, H: Salmonella typhi

⑧ K/K: Pseudomonas, Acinetobacter, Alacligenes, Flavobacter

## 56

E. coli O157은 sorbitol MacConkey agar에서 sorbitol을 비분해하여 무색을 나타낸다.

## 57

Proteus 균종:

일반 보통한천배지에서 잘 자라고 BAP 에서 유주현상(swarming phenomenon)을 관찰할 수 있다. Proteus vulgaris와 Proteus mirabilis 는 모두 이러한 유주현상을 나타내며 Proteus vulgaris는 Indole test에서 양성을 나타내고 proteus mirabilis는 Indole test에서 음성을 나타낸다.

## 58

Yersinia enterocolitica:

CIN 선택 배지에서 mannitol 의 분해로 적색 집락을 나타낸다.

## 59

슬라이드 배양 (Slide culture):

진균의 균사 또는 포자를 관찰하기 위한 검사법으로 습윤한 조건을 만들어서 배지 조각을 배양하여 검경한다.

## 60

Rabies virus:

광견병, 총알 모양의 바이러스로 동물에서 사람으로 주로 타액을 통해 전파된다.

## 61

이질 아메바:

Lugol's iodine 염색 시 이질 아메바의 포낭형은 4핵성을 나타내며 대장 아메바는 8핵성을 나타낸다.

## 62

람불편모충:

영양형과 포낭형이 있으며 영양형은 서양배 모양으로 좌우 대칭을 나타내며 2핵성 4쌍의 편모를 지닌다.

## 63

RPHA:

역수신 적혈구 응집반응, HBs Ag 정성 검사, 고정한 닭 적혈구에 HBs 특이 항체를 흡착하여 혈액 중에 HBs Ag 와 반응하여 혈구 응집을 확인하는 방법이다.

## 64

교반기(Rotator)는 RPM, Timer 기능이 필수이며 VDRL 반응에 사용되고180 rpm에서 4분간 혼합한다.

## 65

SRID: single radical immunodiffusion, 단일방사면역확산법

한천에 항혈청을 혼합하여 agar plate를 만들어서 2mm 직경의 구멍을 만든다, 그 구멍에 항원을 넣고 반응시키면 항원이 확산되어 나가면서 항체와 결합하여 항원항체복합체가 생성된다. 항원이 더욱 확산되어 항원의 농도가 침강물의 최적비에 접근하게 되면 침강물의 환이 생성된다.

실전모의고사
(실기편)
5회

## 5회 조직·세포병리검사

| | | | | |
|---|---|---|---|---|
| 01 ① | 02 ① | 03 ④ | 04 ① | 05 ⑤ |
| 06 ④ | 07 ③ | 08 ④ | 09 ④ | 10 ② |
| 11 ③ | 12 ② | 13 ② | 14 ③ | 15 ① |
| 16 ③ | | | | |

### 01

포르말린 산화에 의해 포름산이 생성되고 이는 조직 내에 혈색소와 결합하여 acid hematin(산헤마틴)을 생성하는데 이를 포르말린 색소라고 하며 중화제로 혼합하여 사용하도록 하는데 근원적으로 포르말린의 산성화를 방지하기 위한 용액은 neutral buffered formalin, NBF 이고 그 밖의 중화제로 탄산칼슘(calcium carbonate, CaCO3), 탄산마그네슘(Magnesium carbonate, MgCO3) 등이 있다.

### 02

동결고정:

면역형광염색, 효소조직화학, 제자리 부합법 중 RNA 검출 등은 동결고정법을 사용해야 한다.

### 03

일반 조직 염색 표본 제작 과정 순서:

고정(fixation)→절취(gross cutting)→탈수(dehydrating)→투명(clearing)→파라핀 침투(paraffin infiltrating)→포매(embedding)→박절(microtomy)→염색(staining)→ 봉입(mounting)

### 04

일반표본제작시 가장 많이 쓰이는 포매제는 파라핀이다.

### 05

사진은 막창자꼬리(충수, appendix)의 사진으로 중앙과 중앙 위쪽 부근을 각각 1개씩 가로 단면조직을 절취하고, 끝부분의 1/3을 긴축에 평행하도록 세로 단면조직편을 절취한다.

### 06

콩팥 바늘 생검(needle biopsy):

검체 접수 즉시 양쪽 말단의 조직편을 각각 전자현미경 검사용, 형광항체 검사용으로 절단하고 남은 조직은 광학현미경 검사용으로 채취하여 포르말린에 고정한다. 피질 부를 확인하기 위해서는 토리가 있는지 해부현미경으로 관찰한다.

### 07

회전식 박절기를 이용하여 박절할 경우 칼날에 이물질이 있거나 홈이 파여 있을 경우 절편이 갈라지게 된다.

### 12

질풀 도말법 (Vaginal pool smear method):

방법이 신속하고 간단하여 집단검진시 많이 사용된다. 후질원개에 고여있는 자궁 내의 세포분비물을 스포이드로 흡인하여 채취한 후에 유리 슬라이드에 도말하는 방법이다.

### 13

Papanicolaou stain (파파니콜라우 염색) 단계:

고정→함수→핵염색→세포질염색→탈수→투명→봉입

### 14

꽃가루(pollen):

주로 표본제작 때 오염되는 경우에 관찰 가능하고 파파니콜라우 염색에서 이중 굴절성을 나타낸다. 투명한 막이 존재하고 안쪽에는 황색이나 적색으로 염색된다.

### 15

MI(maturation index, 성숙지수)

여성의 호르몬 상태 파악을 위해 사용하는 지수로 100개의 중층편평상피세포 중에 포함된 세포를 기저곁세포: 중간세포: 표층세포로 나누어 백분율로 표시한 것이다.

### 16

Neisseria gonorrhoeae(임균):

성병의 원인으로 두 개의 완두콩 모양 쌍구균이 서로 마주 보고 있는 특징을 보인다.

## 5회     임상화학검사

| | | | | |
|---|---|---|---|---|
| 17 ③ | 18 ② | 19 ③ | 20 ③ | 21 ⑤ |
| 22 ③ | 23 ① | 24 ③ | 25 ③ | 26 ① |
| 27 ④ | 28 ③ | 29 ④ | 30 ④ | 31 ③ |
| 32 ⑤ | | | | |

### 19
원자흡광광도계로 측정 가능한 항목:
Ca, Fe, Zn, Mg, Hg, Pb 등 중금속

### 20
그래프는 정밀도가 높은 상태로 정밀도는 재현성과 관련
있으며 정확도는 예민도와 특이도에 영향을 받는다.

### 21
정규분포곡선을 표준편차의 일정한 폭으로 구분하였을 때
±1SD의 범위에 포함하는 확률은 68.3%, ±2SD의 범
위에 포함하는 확률은 95.5%, ±3SD의 범위에 포함하는
확률은 99.7%이다. 따라서 ±2SD의 범위를 벗어나는 확
률은 4.5%이다.

### 22
위 그래프는 Outlier(탈선)을 나타낸 것으로 표준액의 오
염, 검체의 오염, 분석기기의 오염, 부정확한 용량, 부정확
한 희석, calibration의 불량 등으로 발생한다.
- Outlier(탈선): 표준액의 오염, 검체의 오염, 분석기기의
  오염, 부정확한 용량, 부정확한 희석, calibration의 불
  량 등
- Unrest(요동): 기술 미숙, 기사의 빈번한 교체
- Upward Trend: 표준액의 희석, 시약의 오염
- Downward Trend: 표준액의 농축, 시약의 오염
- Upward Shift: 시약의 오염, 항온조 온도 상승, 표준액
  의 희석, 타이머 시간이 길 경우, 희석기와 분주기 부피
  가 클 경우
- Downward Shift: 시약의 오염, 항온조 온도 하강, 표준
  액의 농축, 타이머 시간이 짧을 경우, 희석기와 분주기
  부피가 작은 경우

### 23
Kind-King 반응은 potassium ferricyanide 존재 하에
4-aminoantipyrine 시약과 반응하여 적색을 나타낸다.

### 24
Titan yellow법은 magnesium 측정을 위한 비색측정법
으로 종말색은 red이며 발색제로 Titan yellow 시약을
사용한다.

### 28
Addis count는 세포성분 수를 검사하는 방법으로 urine
은 12시간 요를 사용하며 방부제는 10% formalin을 사
용한다. 요의 pH는 6.0 이하로 한다.

### 29
과잉 요를 제거하지 않으면 시험지간의 발색이 혼합되어
간섭이 일어날 수 있기 때문에 과잉 요를 제거한다.

### 30
SSA(sulfosalicylic acid)법
음이온의 알칼로이드 시약 SSA와 약산성에서 양전하로
하전되는 단백과 결합할 때 침전하는 것으로 albumin,
globulin, Bence-jones protein 측정 가능하다.

### 31
Benedict법:
요당을 측정하는 정성 검사법으로 glucose, fructose,
galactose, lactose, pentose 측정 가능한 방법이다.

### 32
Ictotest:
요 중 bilirubin 검사법으로 tablet과 요를 반응시켜서 확
인한다.

## 5회 혈액학검사

| | | | | |
|---|---|---|---|---|
| 33 ① | 34 ③ | 35 ③ | 36 ① | 37 ① |
| 38 ② | 39 ③ | 40 ③ | 41 ④ | 42 ① |
| 43 ④ | 44 ⑤ | 45 ② | 46 ④ | 47 ⑤ |
| 48 ① | | | | |

## 33
적혈구

(1) 도너츠 모양 (평면상 : 원판형, 측면상 : 아령형)
(2) 양측 오목한 모양 (biconcave)
(3) 전체 혈액량의 42~45% 차지
(4) 표면적이 넓어서 가스교환 효율적
(5) 직경이 평균 6~8㎛, 두께 1.5~2.5㎛
(6) 구조
① 외막(지질 1/3, 단백질 2/3)
　→ 바깥 면에 탄수화물 존재 : ABO 혈액형 항원 물질
② 내부 : Hb, 수분, 포도당, 단백질, 비타민, 전해질 등 포함
　→ 혈액이 붉게 보이는 이유는? 혈색소(Hb) 함유하기 때문
(7) 수명 : 120일 (전체 적혈구량의 1/120이 매일 파괴되고 생성)
(8) 무핵세포 (골수에서 적혈구가 성숙되는 과정 중에 초기에는 핵이 존재하지만 성숙한 적혈구가 되면서 핵이 소실되기 때문)
(9) 주된 기능: 산소 운반

## 34
해설은 33번 문제를 참고하시기 바랍니다.

## 35
Howell-Jolly bodies:
핵질의 부산물(핵의 잔존물)로 용혈성 빈혈, 거대적모세포 빈혈, 비장기능 감퇴 등에서 관찰 가능하며 Feulgen 반응 양성이다.

## 36
단구(Monocyte)
• 크기 : 15~22㎛, 정상 말초혈액 중 가장 큰 세포로 백
혈구 중 가장 큼
• 핵 : 원형 또는 부정형으로 중앙에 위치하며 접혀있는 것이 특징
• 세포질 : 회청색(gray-blue) azure 과립, 공포 출현
• Peroxidase 양성
• 건강한 성인은 백혈구의 3~8% 정도로 출현하며 수명은 약 8일정도이다.

## 37
호중구는 건강한 성인의 말초혈액 속에 가장 많이 출현하는 세포이다.
※ 말초 혈액 내 세포의 분포비율
호중구(55~60%) 》 림프구(30~40%) 〉단구〉호산구〉호염기구

## 38
다발성골수종의 특징으로 형질세포의 출현이다. 형질세포는 혈액에서는 발견되지 않으며 골수, 비장, 림프절에서 출현하며 10%이상 증가된 경우에 다발성 골수종, 만성 육아종성 감염, 세포 독성 약물투여, 전이상 암종 등에서 관찰 가능하다. 다발성골수종의 경우 골수 중 이상 형질세포가 다발성으로 출현하는 특징을 보인다.

## 39
Osteoclast:
파골세포, 크기가 약 100㎛로 매우 큰 세포이며 다수의 핵을 포함하고 핵은 각각 1개의 핵소체를 가진다. 세포질은 자색의 과립으로 가득하다. 단독으로 출현하고 암의 골수전이가 발생한 경우 확인할 수 있다.

## 40
연전형성(Rouleaux formation):
다발성골수종, macroglobulinemia에서 관찰 가능한 현상으로 적혈구가 원통 모양으로 싸여있는 현상이다.

## 41
사진은 전자동 ESR 측정기로 적혈구 침강속도를 측정하기 위한 기계이다.

## 42
사진의 검사 결과지는 CBC 항목의 검사 결과지로 CBC 검사는 EDTA tube를 사용한다.

## 43
채혈백 Blood type 표시
- A Type : Yellow
- B Type : Red
- AB Type : Black
- O Type : Blue

## 44
Rh- O형 농축적혈구는 긴급 상황시 모든 혈액형의 환자에게 수혈이 가능하다.

## 45
MSBOS:

Maximum Surgical Blood Order Schedule, 최대 혈액신청량
수술 예정 환자의 출혈 예상량을 적용하여 효율적으로 혈액관리를 하기 위함이다.

## 46
C/T ratio는 최대 2.5를 넘기지 않도록 하며 이상적인 ratio는 1:1 이다.(교차시험/수혈비: C/T ratio)

## 47
우리나라는 CPDA-1 항응고 보존액을 사용하며 전혈 400ml 기준으로 56ml의 항응고 보존액이 포함되어 있으며, 320ml 기준의 경우 44.8ml의 항응고 보존액이 포함되어 있다.

| 49 ④ | 50 ⑤ | 51 ② | 52 ③ | 53 ④ |
|---|---|---|---|---|
| 54 ④ | 55 ⑤ | 56 ③ | 57 ② | 58 ① |
| 59 ② | 60 ⑤ | 61 ② | 62 ② | 63 ④ |
| 64 ① | 65 ② | | | |

## 49
고압증기멸균:

autoclave 안에 121°C에서 15파운드 환경으로 15~20분간 멸균한다. 미생물의 아포까지 모두 멸균 가능하며 각종 의류, 실험기구, 검체, 배지 등의 멸균에 사용된다.

## 50
Catalase test:

Staphylococcus와 Streptococcus를 구분하는데 가장 많이 사용하는 방법으로 Staphylococcus가 양성을 나타낸다. 3% $H_2O_2$ 시약에 균을 접종하여 거품이 생기면 양성으로 확인한다.

## 51
Bacitracin disk 감수성 검사법:

$\beta$-용혈성 사슬알균 A군과 B군을 동정하기 위한 시험이다. BAP 표면에 균을 바르고 0.04unit의 Bacitracin disk를 얹은 후 배양시에 disk 주변으로 15~20mm 억제대가 형성되어 감수성을 나타냄으로 A군 사슬알균을 동정할 수 있다. Streptococcus pyogenes가 감수성을 나타낸다.

## 52
Neisseria gonorrhoeae:

임균, 임질균으로 Thayer-martin agar 에서 증식 가능하다.

## 53
$\beta$-lactamase test:

슬라이드 위에 $\beta$-lactam disk를 놓고, 균을 묻힌 다음 디스크에 증류수를 부어 변화를 관찰한다. Cefinase 법에서는 적색이 양성, Acidmetric 법에서는 황색이 양성으로 Neisseria gonorrhoeae 진단에 사용된다.

## 54
ONPG test:

무색의 ONPG에 세균을 접종하였을 때 세균의 $\beta$-galactosidase의 반응으로 가수분해되어 황색을 나타내는 시험이다. Lactose를 천천히 분해하는 균을 신속하게 감별하는 시험으로 황변하면 양성이다. Shigella sonnei는 lactose를 천천히 분해하여 양성을 나타낸다.

## 56
Vibrio cholera와 Vibrio alginolyticus는 TCBS 배지에서 sucros의 분해로 황색 집락을 형성한다. Vibrio 균종 중에 나머지 Vibrio parahaemolyticus, Vibrio mimicus, Vibrio vulnificus는 sucrose의 비분해로

TCBS 배지에서 녹색집락을 형성한다.

## 57
String test:

슬라이드 위에 균을 분주하고 0.5% sodium desoxy-cholate 시약을 혼합 하였을 때 끈끈한 줄이 올라오면 vibrio 균이다.

## 58
Pseudomonas aeruginosa:

녹농균. BAP 배지에서 β-용혈을 보이며 녹색 색소(pyo-cyanin)을 생성하여 청녹색 집락을 관찰할 수 있다.

## 59
Penicillium은 aspergillus와 비슷한데 Penicillium은 vesicle(소포, 정낭)이 없다.

## 60
Cytomegalovirus:

CMV, 올빼미 눈 모양의 봉입체가 관찰되고 타액이나 혈액으로 전염된다.

## 61
요꼬가와흡충:

황갈색의 참깨모양으로 난각과 난개의 연결 부위에 돌출부가 없다. 충란 내에 miracidium이 존재한다. 간흡충과 유사하며 간흡충은 돌출부가 존재한다.

## 62
일본주혈흡충:

타원형으로 난개가 없다. 충란 내에 유도유충이 차있다. 난각의 측면에 작은 돌기가 존재한다.

## 64

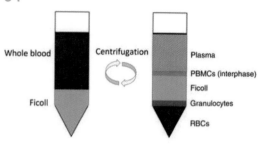

## 65
SRID: single radical immunodiffusion, 단일방사면역확산법

한천에 항혈청을 혼합하여 agar plate를 만들어서 2mm 직경의 구멍을 만든다, 그 구멍에 항원을 넣고 반응시키면 항원이 확산되어 나가면서 항체와 결합하여 항원항체복합체가 생성된다. 항원이 더욱 확산되어 항원의 농도가 침강물의 최적비에 접근하게 되면 침강물의 환이 생성된다.

실전모의고사
(실기편)
6회

## 6회  조직 · 세포병리검사

| | | | | |
|---|---|---|---|---|
| 01 ② | 02 ④ | 03 ② | 04 ② | 05 ⑤ |
| 06 ④ | 07 ① | 08 ② | 09 ③ | 10 ② |
| 11 ② | 12 ① | 13 ② | 14 ① | 15 ② |
| 16 ① | | | | |

### 01
셀로이딘 포매:

얇은 박절이 어렵고, 침투 시간이 길며 취급이 어려워서 보통 포매법으로는 부적당하나 실온에서 진행하기 때문에 위축과 경화가 생기지 않는 장점이 있어서 보통 큰 검체의 포매시에 사용한다.

### 02
셀로이딘 포매:

뇌, 뼈, 안구, 심장 전체 등의 검체 포매 가능

### 03
칼의 연마:

박절시 사용하는 칼의 연마법에는 자동과 수동이 있는데 최근에는 일회용칼을 사용하여 칼을 연마하여 사용하는 경우가 많지 않다. 딱딱하고 단단한 조직(자궁, 뼈조직 등)의 박절시 필요한 강철 칼의 연마에는 자동연마기(automatic knife sharpener)를 사용한다.

### 04

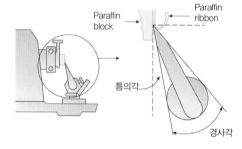

틈의각: 7°, 경사각: 27°~32°

### 05
대부분의 조직은 병소부위를 하향하여 포매하지만 조직편

의 종류에 따라 예외가 있다. 관상형 조직은 벽과 내강이 나오도록 가로면으로 포매한다.

### 06
Verhoeff iron hematoxylin stain:

탄력섬유 염색법 중 가장 많이 사용되는 염색법으로 굵은 탄력섬유는 염색성이 강하지만 얇은 탄력섬유는 염색성이 약한 특징이 있다.

### 07
MSB stain (Martius-scarlet-blue stain):

섬유소는 적색, 아교섬유는 청색, 적혈구는 황색으로 염색된다.

### 08
액화괴사:

세균의 감염에서 흔히 관찰 가능하다. 조직괴사의 한 형태로 세균의 감염으로 백혈구의 가수분해 효소 작용으로 인하여 용해소체 작용이 단백질 변성보다 먼저 발생한다. 이에 세포가 자가 용해로 인해 죽은 세포가 액체화 되어 농(pus)을 형성하는데 이를 액화괴사라고 한다. 뇌조직이나 폐에서 발생한다.

### 09
염색체가 세포의 적도면에 일렬로 배열되기 때문에 체세포 분열 과정 중 중기가 가장 관찰하기 쉽다.

### 12
VCE 슬라이드 도말법은 질-자궁목-자궁속목(Vagina-cervix-endocervix, VCE)의 3조합 도말법이다. 3개 부위를 도말하기 때문에 시간이 지체되어 변성될 가능성이 있다.

### 13
객담(Sputum):

폐질환 관련 검사시 실시하며 아침 기상 후 바로 채취하는 것이 이상적이다. 채취하기 전에 입 안을 잘 헹군 후 실시한다. 객담은 받는 즉시 검사하는 것이 가장 좋으나 여건이 안 될 경우 실온에서는 12시간, 냉장 보관의 경우에는 24시간 까지 보관한다. 검사가 더 늦어질 경우에는 객담과 같은 양의 50% 에탄올을 혼합하여 전고정 시킨 후 냉장고에 보관한다.

## 14
사진은 중간세포(intermediate cell)이며 혈중 프로게스테론에 의해 성숙되어 혈중 프로게스테론의 농도가 높은 시기인 임신기나 분비기에 주로 관찰된다. 세포질은 다각형의 호청성 또는 호에오진성이며 핵은 중앙에 위치한다.

## 15
보트형 세포(주상세포, navicular cell):
핵이 한쪽으로 치우쳐있고, 세포질 안쪽에 갈색의 글리코겐(Glycogen)이 관찰된다. 세포질의 가장자리가 두껍다.

| 17 ① | 18 ② | 19 ④ | 20 ⑤ | 21 ③ |
| 22 ③ | 23 ① | 24 ② | 25 ④ | 26 ① |
| 27 ③ | 28 ① | 29 ② | 30 ② | 31 ④ |
| 32 ① | | | | |

## 18
사진의 기구는 Resin column으로 HbA1c를 측정하는데 사용되며 당뇨병 진단에 사용된다.

## 19
Cuvette에 유색용약을 넣어 광을 통과시킬 때 표준길이는 10mm 이다.

## 20
염광광도계로 측정 가능한 항목:
Na, Ca, K, Li 이 주로 측정되며 그 외에 Mg, Cu, Pb, Ba, Sr 등도 측정 가능하다.

## 21
위의 정규분포곡선에서 (1)에 해당하는 것은 ±1SD, (2)에 해당하는 것은 ±2SD, (3)에 해당하는 것은 ±3SD 이며 ±1SD의 범위에 포함하는 확률은 68.3%, ±2SD의 범위에 포함하는 확률은 95.5%, ±3SD의 범위에 포함하는 확률은 99.7%이다. 따라서 (1)에 해당하는 ±1SD의 %는 68.3% 이다.

## 23
Fiske subbarow 법은 무기인에 ammonium molybdate와 ANSA 시약을 반응하여 청색(blue color)을 나타내는 것이다.

## 27
Ictotest:
요 중 bilirubin 검사법으로 tablet과 요를 반응시켜서 확인한다.

## 30
Schwartz-watson법:
urobilinogen의 측정법으로 urobilinogen과 porphobilinogen을 Enrlich 시약에 가하여 적색을 나타내는 현상으로 각각 분리시키는 방법이다.

## 31
난원형 지방체(oval fat body):
세뇨관 세포에 누출된 lipoprotein을 흡수하여 생성되며 지질염색과 편광현미경으로 확인한다.

## 32
갈색의 과립색소로 hemosiderin을 감별할 때 Prussian blue stain을 사용한다.

| 33 ② | 34 ② | 35 ⑤ | 36 ② | 37 ④ |
| 38 ② | 39 ① | 40 ⑤ | 41 ③ | 42 ① |
| 43 ④ | 44 ③ | 45 ② | 46 ① | 47 ④ |
| 48 ⑤ | | | | |

## 33
성숙적혈구의 중심부는 엷게 염색되며 이를 중앙 창백 부위 (central pallor)라고 한다.

## 34
적혈구응집상:
마이코플라즈마 감염으로 혈액 속에 한냉응집소가 출현하여 적혈구가 응집하여 덩어리를 형성한 모습이다. 한냉응집소를 가지고 있는 환자에게서 출현한다.

## 35
한냉응집소로 응집된 적혈구 덩어리는 혈액을 37˚C에 10분간 방치한 후 즉시 도말염색을 하면 적혈구 응집 덩어리는 거의 소실된다.

## 36
2분엽의 핵과 핑크색의 세포질로 호산구임을 알 수 있다.

## 37
핵의 형태가 불분명하고 세포질은 짙은 암청색을 띠는 호염기구이다. 정상성인의 백혈구의 1% 미만으로 관찰된다.

## 38
LE cell
- 환자 혈청 속의 LE factor(Ig) + 손상 받은 백혈구의 핵과 반응
  → LE body (Hematoxylin body)
  → 이것을 호중구의 핵이 탐식한 모양으로 나타남
  → LE cell 발견시에 rosette현상 나타남
- SLE (Systemic lupus erythematosus, 전신성 홍반낭창증), 류마티스관절염, 간염 시 관찰 가능
- 자가 면역 질환 시 많이 보임
- 젊은 여성에게 주로 발생하며 증상은 홍반성 낭창, 고열, 발진, 거대 비장증, 관절통, 신염 등이 나타난다. 혈장단백과 여러가지 항체들이 출현한다.

## 39
Gaucher cell:
크기가 20~80 $\mu$m로 매우 크고, 핵은 한쪽으로 편재되어 있으며 작다.
세포질은 지방으로 가득 차 있으며 창백하게 보인다. Gaucher's 병을 가진 사람에게 관찰 가능한 세포로 $\beta$-glucocerebrosidase 라는 효소 결핍에 의해 발생되는 희귀병이다.

## 40
Foamy cell:
Niemann-Pick병에서 관찰 가능한 세포로 20~40 $\mu$m 큰 사이즈이며 골수와 비장에서 볼 수 있다. 핵은 한쪽으로 편재되어 있으며 세포질은 포말상(Foamy)이다. Niemann-Pick병은 Sphingomyelinase 라는 독소의 결핍에 의해 발생한다.

## 41
사진의 검사 결과지는 PT, PTT의 검사 결과지로 혈액응고검사는 Sodium citrate tube를 사용한다.

## 42
혈색소 전기영동 결과 가장 빠른 혈색소는 Hb A 이다.

## 43
Rh형 슬라이드법 검사를 시행할 때 사용되는 view box로 Rh항체는 온항체이기 때문에 view box의 표면 온도를 37˚C로 유지해야 한다.

## 45
신선동결혈장(FFP):
채혈 후 6시간 이내에 혈장을 분리시켜 동결시킨 것으로 -18˚C 이하의 Plasma deepfreezer에서 채혈일로부터 1년동안 보관이 가능하다. 혈액은행에서 공급할 때에는 37˚C에서 완전히 해동 후 3시간 이내에 가능한 빨리 출고한다.

## 46
농축혈소판:
농축혈소판을 얻기 위해서는 헌혈 후 4시간 이내에 삼중백을 사용하여 농축적혈구, 농축혈소판, 신선동결혈장을 분리하고 실온 보존하며 제조 후 5일간 보존이 가능하다.

| | | | | |
|---|---|---|---|---|
| 49 ⑤ | 50 ④ | 51 ① | 52 ④ | 53 ③ |
| 54 ② | 55 ② | 56 ④ | 57 ④ | 58 ④ |
| 59 ① | 60 ④ | 61 ① | 62 ③ | 63 ④ |
| 64 ③ | 65 ⑤ | | | |

## 49
건열멸균:

금속기구, 유리기구, 페트리접시, 기름종류 등을 멸균시키며 160~180°C에서 1~2시간 동안 처리하여 미생물을 산화 및 탄화시켜서 미생물과 아포를 완전히 멸균시킨다.

## 50
India ink stain:

협막(capsule) 염색의 한 종류로 Cryptococcus neoformans는 두꺼운 협막을 지니고 있어서 India ink stain 시에 관찰 가능하다. Cryptococcus neoformans는 수막염을 유발할 수 있는 진균으로 척수액을 사용한다.

## 51
Catalase test:

Staphylococcus 와 Streptococcus 를 구분하는데 가장 많이 사용하는 방법으로 Staphylococcus가 양성을 나타낸다. 3% $H_2O_2$ 시약에 균을 접종하여 거품이 생기면 양성으로 확인한다.

## 52
CAMP test:

Streptococcus agalactiae의 CAMP 인자와 Staphylococcus aureus의 $\beta$-hemolysin의 결합으로 화살촉 모양의 용혈대 상승을 보이며 CAMP test가 양성일 경우 Streptococcus agalactiae를 동정할 수 있다.

## 53
$\beta$-lactamase test:

슬라이드 위에 $\beta$-lactam disk를 놓고, 균을 묻힌 다음 디스크에 증류수를 부어 변화를 관찰한다. Cefinase 법에서는 적색이 양성, Acidmetric 법에서는 황색이 양성으로 Neisseria gonorrhoeae 진단에 사용된다.

## 54
Corynebacteriumdiphtheria:

디프테리아균, 그람양성 막대균의 이염소체를 염색하여 관찰 가능하다. 보통 배지에서는 잘 자라지 않고 혈액이나 혈청을 첨가한 배지에서 잘 자란다. Potassium tellurite blood agar, Tinsdale agar를 선택배지로 사용하여 Loeffler혈청배지를 분리배지로 사용한다.

## 57
Vibrio cholera와 Vibrio alginolyticus는 TCBS 배지에서 sucrose의 분해로 황색 집락을 형성한다. Vibrio 균종 중에 나머지 Vibrio parahaemolyticus, Vibrio mimicus, Vibrio vulnificus는 sucrose의 비분해로 TCBS 배지에서 녹색집락을 형성한다.

## 58
String test:

슬라이드 위에 균을 분주하고 0.5% sodium desoxycholate 시약을 혼합 하였을 때 끈끈한 줄이 올라오면 vibrio 균이다.

## 59
Aspergillus은 Penicillium과 비슷하며 Aspergillus은 vesicle(소포, 정낭)이 존재한다.

## 60
Rotavirus:

ELISA법이나 라텍스 응집법으로 진단한다.

## 61
간흡충:

황갈색의 참깨모양으로 난각과 난개의 연결 부위에 돌출부가 존재한다. 충란 내에 miredium이 존재한다.

## 62
포르말린-에테르 침전법
(Formalin-ether sedimentation, MGL) :

표본의 보관이나 교육용으로 우수한 검사법으로 모든 기생충란 분리에 효과적이다. Formalin은 충란을 고정하며 ether는 찌꺼기를 제거하는 목적으로 사용된다. 분리할때 상층부터 ether-찌꺼기-formalin-충란 순서로 분리된다.

## 64

Ig M은 오량체이고 Ig A는 이량체, 나머지 Ig D, Ig E, Ig G 는 단량체이다.

## 65

Indirect coomb's test 간접 쿰스 검사, 혈액 내에 순환하는 적혈구에 대한 항체를 확인하는 검사이다. 혈청을 O형 정상적혈구와 반응시킨 후 적혈구를 세척하여 항글로불린 혈청과 반응시키면 혈청내 적혈구 항체가 존재할 경우 응집을 일으킨다.

실전모의고사
(실기편)
7회

## 7회 조직·세포병리검사

| 01 ④ | 02 ① | 03 ⑤ | 04 ⑤ | 05 ③ |
|---|---|---|---|---|
| 06 ② | 07 ② | 08 ③ | 09 ① | 10 ③ |
| 11 ④ | 12 ④ | 13 ② | 14 ② | 15 ③ |
| 16 ④ | | | | |

### 01

사진은 조직미세배열법(Tissue microarray, TMA)으로 주로 조직병리학 분야에 활용되며 정도관리의 간소화 작업에 유용하다. 다량의 조직 검체를 단시간에 평가하기 위한 방법으로 개발되었다. 100개 이상의 조직검체를 하나의 블록에 옮겨 심는 기술을 이용하며 소량의 시약으로 각 슬라이드를 염색하여 분석할 수 있다.

### 02

활주식 박절기:

활주형으로 칼 또는 paraffin block이 제한된 활주를 따라 전후로 움직이면서 한 장씩 박절하며 다량의 검체 취급이 어렵고 크고 단단한 조직에 적합한 박절기이다.

### 03

부유온수조:

박절하여 얻어진 파라핀 블록을 부유온수조에 띄워 펴준다. 조직의 주름을 펼 때 사용되는 부유온수조는 온도를 45~50℃로 맞춰 유지해야 한다.

부유온수저 내의 물의 온도는 보통 45℃ 이하를 유지하여야 한다. 물에 알코올을 첨가하면 절편을 더 잘 펴주게 하는 효과가 있다.

### 04

사진은 자동봉입기(Automatic coverslipper)이다.

### 05

Masson trichrome stain으로 아교섬유 염색에 주로 사용하며 아교섬유는 아닐린 블루에 의해 청색으로 염색, 근 섬유는 acid fuchsin에 의해 적색으로 염색, 세포질은 biebrich scarlet에 의해 적색으로 염색된다. 염색 전에 Bouin solution을 매염제로 사용하여 염색을 더 좋게 한다.

### 06

Gomori reticulum stain (고모리 그물섬유 염색):

그물섬유는 흑색, 아교섬유는 갈색으로 염색된다. 호은성을 이용하여 은을 침착시키는 도은법에 해당한다.

### 07

아밀로이드는 Congo red stain 후에 편광 아래에서 관찰하여 녹색형광을 확인하여 진단하도록 한다.

### 08

울혈:

신체의 일부에 모세혈관 및 정맥이 확장되어 수동적으로 정맥혈이 정체되고 증가된 상태로 사진은 폐울혈의 모습이다.

### 09

다운 증후군:

21 삼염색체증 (trisomy 21)으로 21번 염색체가 3개 존재하여 나타난다. 몽고인과 비슷하여 몽고증(mongolism)이라고도 하며 지능의 발달이 저조하고 선천성으로 심한 기형을 동반하기도 한다. 핵형은 (47, XX, +21) 또는 (47, XY, +21) 로 나타난다

### 10

크론병(crohn's disease):

원인 불명의 염증성 질환이다. 장점막과 장벽의 전체적으로 염증과 건락괴사가 없는 육아종이 확인된다.

### 11

큰창자의 술잔세포이며 점막상피중에 단독으로 분비기능을 하는 키가 큰 선세포이다.

### 12

사지은 기저곁세포 (방기저세포, parabasal cell)이며 중간세포보다 작은 원형 또는 난원형의 세포이다. 세포질은 핵의 약 2배를 차지하고 세포질은 호청성으로 청록색을 나타낸다. 세포의 출현은 상피의 위축, 수유기, 폐경후기, 사춘기전 등에서 출현한다.

### 13

알터나리아(alternaria):

공기 중의 비병원성 진균으로 긴 보트모양을 하며 황갈색을 띈다.

## 14
성숙지수(MI)

- 기저곁세포(방기저세포): 중간 세포: 표층 세포의 비율로 상피의 성숙도를 확인 한다.
- 임신기때는 중간세포가 주를 이루고 있으므로 MI는 0:100:0 이다.

## 15
Trichomonas vaginalis(질트리코모나스):
여성의 질염을 일으키는 원인균으로 서양배 모양, 올챙이 모양을 하고 핵주위 투명대를 특징으로 한다. 세포질내 호에오신성의 과립이 나타나고 포탄볼, 폴리볼이 출현하며 Leptotrichia와 함께 출현할 경우가 많다.

## 16
해설은 15번 문제를 참고하시기 바랍니다.

7회     임상화학검사

| | | | | |
|---|---|---|---|---|
| 17 ① | 18 ③ | 19 ② | 20 ① | 21 ① |
| 22 ① | 23 ① | 24 ⑤ | 25 ③ | 26 ⑤ |
| 27 ⑤ | 28 ⑤ | 29 ⑤ | 30 ③ | 31 ① |
| 32 ② | | | | |

## 18
Cuvette의 가장 이상적인 재질은 석영이다.

## 19
사진의 기구는 desiccator로 시약을 건조상태로 보관하기 위해 사용하며 제습제는 염화칼슘을 주로 사용하고 그 외에 황산동, 실리카 겔, 황산, 산화칼슘, 산화바륨 등이 있다.

## 20
염광광도계

- 직접법: 표준액이나 검체를 재증류수로 희석하여 측정하는 방법
- 내부표준법: 참조금속과 검체금속과의 농도의 비를 측정하는 것으로 참조 금속으로 Li, Cs를 사용한다.

## 21
사진은 원자흡광광도계에서 쓰이는 Hollow cathode lamp 이다.

## 22
원소의 불꽃 반응색:
Na(노란색), K(보라색), Cu(청록색), Li(빨간색)

## 23
위의 정규분포곡선에서 (1)에 해당하는 것은 ±1SD, (2)에 해당하는 것은 ±2SD, (3)에 해당하는 것은 ±3SD 이며 ±1SD의 범위에 포함하는 확률은 68.3%, ±2SD의 범위에 포함하는 확률은 95.5%, ±3SD의 범위에 포함하는 확률은 99.7%이다. 따라서 (3)에 해당하는 ±3SD의 %는 99.7% 이다.

## 24

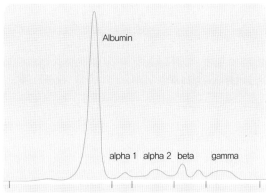

- 동그라미 친 부위는 $\beta$- globulin 분획으로 $\beta$-lipoprotein, Hemopexin, Transferrin, Complement system 확인 가능하다.
- 분획의 성분
① Albumin: Albumin
② $\alpha$ 1- globulin: $\alpha$ 1- fetoprotein, $\alpha$ 1-glycoprotein, $\alpha$ 1-antitrypsin
③ $\alpha$ 2- globulin: $\alpha$ 2- macroglobulin, Haptoglobin, Ceruloplasmin
④ $\beta$- globulin: $\beta$-lipoprotein, Hemopexin, Transferrin, Complement system
⑤ $\gamma$- globulin: Immunoglobulin

## 25
Jaffe 반응은 creatinine과 alkaline picrate를 반응시켜 생성되는 creatinine picrate를 520nm에서 비색정량 하는 검사이다. 반응의 특이성을 높이기 위해 Lloyd's 시약을 사용하며 종말색은 orange-red를 나타낸다.

## 26
Kind-King 반응은 potassium ferricyanide 존재 하에 4-aminoantipyrine 시약과 반응하여 적색을 나타낸다.

## 27
사진은 leucine으로 출현 시 심한 간장애를 의심할 수 있다.

## 29
난원형 지방체(oval fat body):
세뇨관 세포에 누출된 lipoprotein을 흡수하여 생성되며 지질염색과 편광현미경으로 확인한다.

## 30
Bacteria:
작은 구형의 간상체 모양

## 31
요분석기는 반사율을 이용한 측정기이다.

## 32
백혈구원주:
백혈구를 포함하는 원주로 신우신염이나 급성 간질성 신염 등에서 관찰 가능하다.

**7회      혈액학검사**

## 33
표적적혈구는 염색성의 저하로 중앙 창백 부위 (central pallor)가 넓다.

## 34
연전형성의 전형적인 양상의 모습으로 이상단백질 증가 시 확인 가능하다.

## 35
모두 단핵구의 사진으로 2번 사진은 호중구이다.

## 36
림프구(Lymphocyte):
- 크기: 7~17㎛로 다양하며 대, 중, 소로 분류
- 핵 : 거의 원형이거나 신장모양이며 청자색을 띈다.
- 염색질: 거칠고 결절상, 주로 한쪽으로 편재되어 있다.
- 세포질: azure과립, 단구에 비하여 크기는 크지만 수는 적을 때가 많음
- Peroxidase 염색에서 음성

## 37
Myeloperoxidase (MPO 염색):
호중구가 양성 대조혈구로 나타내며 황색빛을 낸다.

## 38
Faggot cell:
Promyelocyte에 5개 이상의 Auer rods가 출현하는 경우를 의미하며 AML M3 환자에게서 Faggot cell, Auer body 등이 동반출현 한다.

## 39
유전난형적혈구증 (hereditary elliptocytosis):
적혈구의 15% 이상이 난형적혈구를 나타내는 질환으로 대체로 무증상이지만 약 10% 정도 용혈빈혈 증상을 나타낸다.

## 40
Ham's test는 발작야간혈색소뇨증을 진단하는 검사로 용혈된 시험관이 양성결과를 나타낸다.

## 41
출혈시간(Bleeding time) 측정법 중 하나로 Duke법이

라고 한다. 귓불을 알콜 소독하여 lancet으로 찔러 혈액이 나올 때 초시계를 가동시켜 30초마다 여과지에 흡수시키고 혈흔이 여과지에 묻지 않을 때까지의 소요시간을 측정하는 방법이다.

## 42

사진의 기계는 PFA-100으로 Platelet Function Analyzer 라고 하며 혈소판의 기능 이상을 평가하는 선별검사이다.

## 44

혈액형 검사시 시험관법 검사에서 시험관은 3400rpm에서 15초간 원심침전 한다.

## 45

ABO 혈액형 검사시 사용되는 혈구 부유액의 농도는 2.0 ~ 5.0 % 이다.

## 48
### Blood warmer:

혈액 온열기로 수혈 전에 혈액을 가온시키는 경우에 사용하며 37˚C가 유지되도록 사용한다.

## 7회  임상미생물검사

| 49 ④ | 50 ② | 51 ③ | 52 ③ | 53 ② |
|------|------|------|------|------|
| 54 ⑤ | 55 ④ | 56 ① | 57 ⑤ | 58 ② |
| 59 ③ | 60 ② | 61 ⑤ | 62 ⑤ | 63 ② |
| 64 ⑤ | 65 ④ |      |      |      |

## 49
### Acid-fast bacilli stain:

항산성 염색으로 열을 가하는 Ziehl-neelsen stain과 열을 가하지 않는 Kinyoun stain이 있다. 염색은 Carbol fuchsin → 3% HCl-alcohol → Methylene blue로 진행되며 Carbol fuchsin과 Methylene blue는 각각 시약으로 사용되고 3% HCl-alcohol은 탈색제로 사용된다.

## 50

생성되는 가스는 $H_2$ + $CO_2$ 이다.

## 51
### India ink stain:

협막(capsule) 염색의 한 종류로 Cryptococcus neoformans는 두꺼운 협막을 지니고 있어서 India ink stain 시에 관찰 가능하다. Cryptococcus neoformans는 수막염을 유발할 수 있는 진균으로 척수액을 사용한다.

## 52
### CAMP test:

Streptococcus agalactiae의 CAMP 인자와 Staphylococcus aureus의 β-hemolysin의 결합으로 화살촉 모양의 용혈대 상승을 보이며 CAMP test가 양성일 경우 Streptococcus agalactiae를 동정할 수 있다.

## 53
### Corynebacterium diphtheriae:

디프테리아균, 그람양성 막대균의 이염소체를 염색하여 관찰 가능하다. 보통 배지에서는 잘 자리지 않고 혈액이나 혈청을 첨가한 배지에서 잘 자란다. Potassium tellurite blood agar, Tinsdale agar를 선택배지로 사용하여 Loeffler혈청배지를 분리배지로 사용한다.

## 54
### Elek test:

독소 생성 시험 (독소-항독소 침강 반응)
배지 위에 수직으로 균을 접종한 후 항독소를 여과지에 흡수시켜서 균과 직각 형태로 놓는다. 침강선이 생기면 독소 생성 디프테리아로 판정한다.

## 55

XLD 배지(Xylose_Lysine_Deoxy cholate agar)는 선택배지로 Salmonella와 shigella 분리를 위한 것이다.

## 56

※ TSI 배양에 따른 미생물
① A/A: E.coli, Klebsiella, Enterobacter, Serratia, Hanfnia, Proteus
② A/A (Gluose, Sucrose 발효): Yersinia enterocolitica

③ A/A, G, H: Citrobacter freundii, proteus vulgaris
④ K/A: Salmonella typhi, Shigella, morganella, P.rettgeri
⑤ K/A, G: Salmonella paratyphi-A
⑥ K/A, G, H: P.mirabilis, Salmonella, Citrobacter
⑦ K/A, H: Salmonella typhi
⑧ K/K: Pseudomonas, Acinetobacter, Alacligenes, Flavobacter

## 57

Vibrio cholera와 Vibrio alginolyticus는 TCBS 배지에서 sucrose의 분해로 황색 집락을 형성한다. Vibrio 균종 중에 나머지 Vibrio parahaemolyticus, Vibrio mimicus, Vibrio vulnificus는 sucrose의 비분해로 TCBS 배지에서 녹색집락을 형성한다.

## 58

Burkholderia pseudomallei:
Pseudomonas에서 분리되어 나온 균으로 주름진 모양의 특징적인 집락을 관찰할 수 있다.

## 59

Candida albicans는 Corn-meal agar에서 35°C, 72시간 배양하면 가성균사에 분아포자와 후막포자를 관찰할 수 있다.

## 61

광절열두조충:
난원형의 담황색 충란으로 난각이 두껍고 난개가 뚜렷하다. 한 개의 난세포가 존재하며 난황세포가 다수 존재한다.

## 62

포르말린-에테르 침전법
(Formalin-ether sedimentation, MGL) :
표본의 보관이나 교육용으로 우수한 검사법으로 모든 기생충란 분리에 효과적이다. Formalin은 충란을 고정하며 ether는 찌꺼기를 제거하는 목적으로 사용된다. 분리할때 상층부터 ether-찌꺼기-formalin-충란 순서로 분리된다.

## 63

Ig A는 이량체이고 Ig M은 오량체, 나머지 Ig D, Ig E, Ig G 는 단량체이다.

## 64

이 사진은 유세포분석기로 백혈병의 감별, 세포주기 감별, Apoptosis 측정 등에 이용된다. 유세포분석기는 검체의 처리(flow cell과 fluidics), 빛의 산란과 형광의 감지(optics), 데이터 처리(electronics)의 3가지 과정으로 나뉜다.

실전모의고사
(실기편)
8회

## 8회 조직 · 세포병리검사

| | | | | |
|---|---|---|---|---|
| 01 ⑤ | 02 ④ | 03 ② | 04 ③ | 05 ④ |
| 06 ② | 07 ③ | 08 ① | 09 ③ | 10 ③ |
| 11 ① | 12 ④ | 13 ④ | 14 ② | 15 ③ |
| 16 ① | | | | |

### 01
슬라이드 가온기의 온도는 파라핀 융점온도 약 60℃로 하고 건조 시간은 1시간이 이상적이다. 온도가 높으면 세포의 변형이 일어나기 쉽고 핵이 농축되어 미세구조가 소실할 수 있다.

### 02
활주식 박절기:
전기냉동박절기(cryostat):
수술 중 응급검사, 조직화학점 검사(지질, 항원, 효소 검출 등) 시에 사용된다. 포매제로 OCT compound를 사용한다.

### 03
글리코겐은 PAS stain에서 양성을 보여 동정 가능하지만 정확히 동정하려면 diastase를 처리한 후 PAS stain으로 확인하여야 한다. 글리코겐은 diastase 처리 후 PAS stain에서 음성을 나타낸다. Diastase는 글리코겐을 특이적으로 소화한다.

### 04
Mucicarmine stain:
점액물질 증명에 많이 사용되는 염색이다. 중성점액다당류와 강산성의 황산화 점액다당류는 음성을 나타내고 약산성의 점액다당류는 양성을 나타낸다.

### 05
Thioflavin T 형광염색:
티오플라빈 T 형광염색, 미량의 아밀로이드 침착물도 확인 가능한 민감성이 높은 방법으로 다른 구조물들도 비특이적으로 염색되는 단점이 있다.

### 06
- 지질 염색을 염료: Oil red O, Sudan Ⅲ, Sudan Ⅳ, Sudan Black B, Nile blue sulphate
- 지질을 증명하는 방법
- 고정: 10% Formalin
- 수법: 동결절편
- 수용성 포매제: OCT compound
- 수용성 봉입체: Gelatin, Glycerin Jelly
- 박절: 10~15㎛
- 염색법: Oil red O, Sudan Ⅲ, Sudan Ⅳ, Sudan black B, Nile blue sulphate

### 07
Ziehl-Neelsen stain:
조직의 항산성균 증명에 사용되는 염색법으로 결핵균을 확인할 수 있다.

### 09
피부 표층:
각질층 (투명층) – 과립층 – 가시층 – 바닥층 (기저층)

### 11
간경변증(Liver cirrhosis):
간세포의 괴사, 섬유화, 재생 과정이 지속적으로 반복하여 진행되어 결절 등이 간 전체에 나타나서 간의 구조가 변형되는 것을 말한다. 간의 표면에 다양한 결절들이 나타나며 특유의 표면상을 띤다.

### 12
정자(sperm):
서양배모양의 머리부분과 가늘고 긴 꼬리부분이 존재한다.

### 13
Leptotrichia buccalis:
형태학적으로 Doderlein 간균과 비슷하며 비병원성 세균으로 질과 구강에서 매우 얇고 가는 실 모양으로 보인다.

### 14
Human papilloma virus(HPV, 인유두종 바이러스):
공동세포(Koilocyte)와 이상각화증(dyskeratosis)의 출현을 특징으로 한다. 사진은 공동세포(koilocyte) 이다.
- HPV(인유두종바이러스) 특징
- 생식기 사마귀로 불리우며 회음부, 외음부, 질, 경부에

나타나는 사마귀 모양 바이러스
- Koilocyte(공동세포) 출현
- 다핵성, 이핵성
- 이상각화증
- 저위험군과 고위험군으로 나위며 고위험군은 자궁경부
  암을 유발함

## 16
수복세포(tissue repair):
화생(metaplasia)에서 유래하고 세포의 끝부분이 희미하며 다형태성을 보이는 세포들이 판상으로 편평하게 관찰된다. 핵의 배열은 규칙적인 극성을 보이고 핵 내에는 크고 호에오신성을 보이는 활동형으로 한 개 또는 여러 개의 핵소체가 출현한다.

| 17 ④ | 18 ⑤ | 19 ④ | 20 ⑤ | 21 ② |
| 22 ② | 23 ③ | 24 ② | 25 ① | 26 ① |
| 27 ② | 28 ② | 29 ④ | 30 ③ | 31 ② |
| 32 ③ | | | | |

## 18
사진의 기구는 desiccator로 시약을 건조상태로 보관하기 위해 사용하며 제습제는 염화칼슘을 주로 사용하고 그외에 황산동, 실리카 겔, 황산, 산화칼슘, 산화바륨 등이 있다.

## 19
증발접시(evaporating dish):
시약의 회화, 증발, 건조를 위해 사용한다.

## 20
pipette filler:
강산이나 냄새나는 불순물을 취할 때 사용하는 안전 pipette 이다.

## 21
원소의 불꽃 반응색:
Na(황색), K(자색), Ca(등적색), Li(적색)

## 22
사진의 기기는 pH meter로 수소이온농도를 측정한다.

## 24
정규분포곡선에서 사용하는 정상범위는 ±2SD 이다.

## 25
위의 그래프에서 동그라미 친 부분은 한계선 밖으로 데이터의 점이 이탈 하였으므로 Outlier (탈선)을 나타낸다
- Outlier(탈선): 한계선 밖으로 데이터의 점이 이탈 할 경우
- Unrest(요동): 평균치를 중심으로 데이터의 변동폭이 큰 경우
- Trend(경향): 분석결과 값이 6~7회 이상 지속적으로 상승하거나 하강하는 경우
- Upward Trend: 결과값이 점차 상승하는 경우
- Downward Trend: 결과값이 점차 하강하는 경우
- Shift: 분석결과 값이 6~7회 이상 평균을 벗어나서 한쪽으로 치우치는 경우
- Upward Shift: 결과값이 평균 위쪽으로 치우치는 경우
- Downward Shift: 결과값이 아래쪽으로 치우치는 경우
- Warning limit(경고 한계): ±2SD를 벗어난 경우
- Action limit(처치 한계): ±3SD

## 26
위 그래프는 Unrest(요동)을 나타낸 것으로 기술 미숙, 기사의 빈번한 교체 등으로 발생한다.
- Outlier(탈선): 표준액의 오염, 검체의 오염, 분석기기의 오염, 부정확한 용량, 부정확한 희석, calibration의 불량 등
- Unrest(요동): 기술 미숙, 기사의 빈번한 교체
- Upward Trend: 표준액의 희석, 시약의 오염
- Downward Trend: 표준액의 농축, 시약의 오염
- Upward Shift: 시약의 오염, 항온조 온도 상승, 표준액의 희석, 타이머 시간이 길 경우, 희석기와 분주기 부피가 클 경우
- Downward Shift: 시약의 오염, 항온조 온도 하강, 표준액의 농축, 타이머 시간이 짧을 경우, 희석기와 분주기 부피가 작은 경우

## 27

쌍치법(Twin plot, Youden plot):
정밀도와 정확도를 동시에 파악할 수 있으며 우연오차와
계통오차를 동시에 파악할 수 있다.

## 28

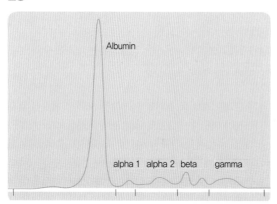

- 동그라미 친 부위는 α 1- globulin 분획으로 α 1- feto-
  protein, α 1-glycoprotein, α 1-antitrypsin 확인 가
  능하다.
- 분획의 성분
① Albumin: Albumin
② α 1- globulin: α 1- fetoprotein, α 1-glycopro-
  tein, α 1-antitrypsin
③ α 2- globulin: α 2- macroglobulin, Haptoglobin,
  Ceruloplasmin
④ β- globulin: β-lipoprotein, Hemopexin, Trans-
  ferrin, Complement system
⑤ γ- globulin: Immunoglobulin

## 29

OCPC법은 알칼리 하에 Ca (Calcium)을 OCPC 시약에
첨가하여 종말색으로 적색(red color)을 나타내는 비색법
이다.

## 30

중성지방이 혈청의 혼탁을 일으키는 주요 물질로 중성지
방은 Chylomicron에 많다.

## 31

Schles-Schales 법은 Chloride를 측정하기 위반 수은
적정법으로 종말색은 pale violet이다.

## 32

사진은 calcium oxalate로 출현 시 결석을 의심할 수
있다.

| 33 ④ | 34 ① | 35 ③ | 36 ⑤ | 37 ① |
| 38 ⑤ | 39 ⑤ | 40 ② | 41 ③ | 42 ① |
| 43 ⑤ | 44 ⑤ | 45 ② | 46 ① | 47 ③ |
| 48 ④ | | | | |

## 33

거대적혈구는 정상적혈구보다 크기가 큰 적혈구로 12 마
이크로미터 이상이다.

## 34

분열적혈구:
다양한 형태를 내며 용혈요독증후군 또는 심장 판막치환
후 등에서 관찰 가능하다.

## 35

Auer bodies (=Auer rods)
· 골수모구, 전골수구, 단모구 같은 세포의 세포질 내에
  가늘고 긴 막대 모양의 구조를 한 적색의 바늘과 같은
  봉입체
· Peroxidase 염색 양성
· 급성 백혈병 환자에서 나타나며 정상 혈액세포에서는
  발견되지 않음
· Faggot cell : Promyelocyte에 5개 이상의 Auer
  rods가 출현하는 경우

## 36

독성과립( Toxic granule)
· 감염 및 독소에 의해 분엽핵 호중성구의 세포질에 나타
  나는 과립
· 세포질에 coarse한 흑청색 또는 짙은 자색 과립 출현
· Peroxidase 염색 양성

- 폐렴이나 패혈증 등의 중증 감염, 화학 물질 중독, 화상 시에 증가한다.

## 37

사진의 세포는 Russell bodies로 형질세포에서 관찰 가능하다.

## 38

Smudged cell (Basket cell, 압좌세포)

- 세포의 파열에 의해 생성, no nucleus (무핵 백혈구)
- 만성림프구성 백혈병

## 39

NBT(Nitroblue tetrazolium) 환원능 측정:

소아 만성육아종 진단에 사용되는 검사이다. 원리는 세균에 감염될 때 호중구의 세포질 내에서 nitroblue tetrazolium 이 환원되어 흑청색의 침전물을 형성으로 이 물질을 추출하여 평가하는 방법이다.

## 40

이 사진은 유세포분석기로 백혈병의 감별, 세포주기 감별, Apoptosis 측정 등에 이용된다.

## 41

염색체별로 특이적인 DNA probe 발색이 형광으로 표시되는 것을 형광현미경으로 관찰하는 방법으로 형광제자리부합법(FISH) 이라고 한다.

## 42

염색체 분석 결과 정상인의 (46, XY)염색체 핵형을 나타낸다.

## 43

Anti-A 혈청 시약: Trypan blue 색소 첨가로 blue color를 나타낸다.
Anti-B 혈청 시약: Acriflavine 색소 첨가로 yellow color를 나타낸다.

## 45

비예기 항체 동정검사 (Antibody Identification test)

- 검사원리 : 비예기항체(unexpected antibody)가 존재하는 혈청과 항체동정용 혈구를 반응시켜 항체선별검사와 동일한 방법으로 반응시킴으로써 비예기항체의 특이

성을 확인

- 검사방법 (실온식염수법 → 37℃고 단백법 → 간접항글로불린검사법)
- tube 11개 준비하고 번호 기입
- 각 tube에 피검혈청 2drop 적하
- 1~11번 까지 각각의 번호에 해당되는 시약(Dia -Panel cell)을 1drop 씩 첨가하고 mix
- 3400rpm 15초 Centrifuge 판독 및 기록
- 각 tube 에 22% Bovine albumin 1 drop 씩 넣고 water bath 37℃ 30분 항온
- 3400rpm 15초 Centrifuge 판독 및 기록
- 각 tube 생리식염수로 3회 washing 후 상층액 제거
- 각 tube 에 Anti-human-globulin 혈청 1 drop 넣고 mix
- 3400rpm에서 15초 Centrifuge 후 agglutinin 관찰
- 음성인 시험관에는 IgG 감작혈구를 넣어 응집이 일어남을 확인

## 47

비예기항체 선별 검사 (Antibody screening test )

- 검사원리: 임상적으로 중요한 적혈구 항원들을 가지고 있는 O형 선별용혈구와 환자의 혈청을 37℃ 식염수법 및 항글로블린법으로 반응시킴으로써 미지의 적혈구 비예기 항체(unexpected Ab)의 존재를 검사
- 검사방법 (실온식염수법 → 37℃고 단백법 → 간접항글로불린검사법)

| 방법 | 특징 |
|---|---|
| Saline법 | IgM항체(완전항체) 검출 → 직접응집<br>한냉항체(항-I, H, Lewis, M, N, P1 )<br>보통 실온 실시<br>약한 반응인 경우 4, 15~18℃ 냉식 panel<br>항-Tja, P 항체는 37℃에서 용혈 |
| Albumin법 | 감작에도 작용, 식염수법보다 반응시간↓<br>IgG(감도↓) 및 IgM 검출가능<br>Rh계통의 항체 검출력↑<br>고역가의 불규칙 항체에만 검출 가능 |
| AHG법 | 임상적 의의있는 항체를 광범위, 감도 좋게 검출<br>최고의 특이성과 신뢰성 있는 방법<br>쿰스 control 필요<br>IgG 및 보체(C3b, C3d) 감도좋게 검출 |

- 3개의 tube에 피검혈청 2drop을 적하
- 다음에 tube Ⅰ - 항체선별 용혈구 1drop
- tube Ⅱ - 〃 1drop
- tube Ⅲ - 2-5% 환자세척혈구 부유액 RBC 1drop

- mix 후 실온에서 10분 방치
- 3400rpm 15초 Centrifuge 후 Agglutinin or Hemolysis 관찰 기록

기록 : 용혈 및 응집 없음

- 각 시험관에 22% Bovine albumin 2 drop 넣고 water bath에 37℃ 15~30분간 항온
- 3400rpm 15초 Centrifuge 후 agglutinin or Hemolysis 관찰 기록

기록 : 용혈 및 응집 없음

- 각 tube 3회 saline wash 후 마지막에 salin을 모두 버림
- 각 tube AHG(항글로블린혈청) 2drop 후 Centrifuge 3400rpm 15초 Agglutinin or
- Hemolysis 관찰 기록
- 검사결과 평가 및 해석

> (−) : 육안관찰 및 현미경 관찰상 응집이 없는 것
> (±) : 육안관찰상 응집이 없으나 현미경상 가끔 작은 응집이 있는 것
> (+) : 육안관찰상 많은 작은 응집들이 있으면서 배경이 지저분한 경우
> (++) : 육안관찰상 크고 작은 응집들이 있으면서 배경이 맑은 경우
> (+++) : 육안관찰상 몇 개의 응집들이 있고 배경이 맑은 경우
> (++++) : 육안관찰상 하나의 큰 응집이 있고 배경이 맑은 경우

- 모든 단계에서 Agglutinin or Hemolysis가 음성이면 Coombs control cell을 1 drop 넣어 원심 시킨 후 응집을 확인 → (응집: 음성, 비응집: 재검사)
- 어느 검사 단계에서든지 Agglutinin or Hemolysis가 일어나면 양성결과
- 항체 선별 검사에서 양성반응을 보이면 가장 반응도가 강한 단계를 선택하여 항체동정검사를 해야 함
- 임상적 의의
- 규칙항체 이외의 미지의 적혈구 불규칙 항체 즉, 비예기 항체 유무 검사
- 수혈부작용 미연에 방지 및 응급수혈과 희귀혈액 확보 의 시간적 여유

## 8회　임상미생물검사

| | | | | |
|---|---|---|---|---|
| 49 ② | 50 ⑤ | 51 ③ | 52 ⑤ | 53 ② |
| 54 ④ | 55 ② | 56 ① | 57 ⑤ | 58 ① |
| 59 ① | 60 ⑤ | 61 ① | 62 ④ | 63 ① |
| 64 ② | 65 ④ | | | |

### 49
Mannitol salt agar:

Staphylococcus 중 병원성과 비병원성을 구분하는 배지로 7.5% 식염, phenol red, mannitol이 함유된다. Staphylococcus aureus 는 mannitol을 분해하여 황색을 띤다.

### 50
절대무산소성 배양:

절대혐기성 배양으로 산소와 저촉하면 사멸하는 균을 대상으로 배양한다. Anaerobic jar, Anaerobic glove box, Anaerobic chamber, GasPak 등이 있다. 사진은 GasPak으로 Bacteroides 배양에 사용되며 지시약은 methylene blue 또는 vesazulin을 사용하고 무산소성 상태일때 무색을 나타낸다.

### 51
CAMP test:

Streptococcus agalactiae의 CAMP 인자와 Staphylococcus aureus의 $\beta$-hemolysin의 결합으로 화살촉 모양의 용혈대 상승을 보이며 CAMP test가 양성일 경우 Streptococcus agalactiae를 동정할 수 있다.

### 52
Oxidation-Fermentation test:
산화 환원 시험 (O-F test)

Staphylococcus와 micrococcus를 비교하는 검사로 Staphylococcus는 당을 발표적으로 사용하며 Micrococcus는 당을 산화적으로 사용한다. 검사 결과로 Staphylococcus는 당을 발효하여 모두 황색을 나타내고 Micrococcus는 당을 산화하여 광유를 덮은 튜브는 초록색, 덮지 않은 튜브는 황색을 나타낸다. 튜브 모두 초록색을 띠는 것은 당을 이용하지 않은 것이다.

## 53
Elek test:

독소 생성 시험 (독소-항독소 침강 반응)
배지 위에 수직으로 균을 접종한 후 항독소를 여과지에 흡수시켜서 균과 직각 형태로 놓는다. 침강선이 생기면 독소 생성 디프테리아로 판정한다.

## 54
Corynebacterium diphtheriae:

디프테리아균, 그람양성 막대균의 이염소체를 염색하여 관찰 가능하다. 보통 배지에서는 잘 자리지 않고 혈액이나 혈청을 첨가한 배지에서 잘 자란다. Potassium tellurite blood agar, Tinsdale agar를 선택배지로 사용하여 Loeffler혈청배지를 분리배지로 사용한다. Potassium tellurite blood agar에서 tellurite를 환원하여 흑색 집락을 형성한다.

## 55
TSI 반응에서 Citrobacter freundii는 A/AG H$_2$S를 나타낸다.

※ TSI 배양에 따른 미생물
① A/A: E.coli, Klebsiella, Enterobacter, Serratia, Hanfnia, Proteus
② A/A (Gluose, Sucrose 발효): Yersinia enterocolitica
③ A/A, G, H: Citrobacter freundii, proteus vulgaris
④ K/A: Salmonella typhi, Shigella, morganella, P.rettgeri
⑤ K/A, G: Salmonella paratyphi-A
⑥ K/A, G, H: P.mirabilis, Salmonella, Citrobacter
⑦ K/A, H: Salmonella typhi
⑧ K/K: Pseudomonas, Acinetobacter, Alacligenes, Flavobacter

## 56
Indole test:

배지 중의 트립토판을 분해하여 Indole을 생성하는지 확인하는 시험으로 배지 표면에 적색링을 형성하면 양성을 나타낸다. 사진에서 A는 Indole test 양성이다.

## 58
Haemophilus influenza:

X인자 V인자 모두 요구하는 균으로 배지에 균을 접종 후 staphylococcus aureus 집락 주변으로 Haemophilus influenza 균이 발육되는 위성현상을 확인할 수 있다.

## 59
Microsporum canis를 염색하는 사진으로 대분생자를 형성하며 방추형으로 세포벽이 두껍고 6~12개의 세포로 분자된다.

## 60
Yersinia pestis:

페스트균, 균체의 양단이 biopolar staining (농염색) 된다. 비운동성이다

## 61
포르말린-에테르 침전법
(Formalin-ether sedimentation, MGL) :

표본의 보관이나 교육용으로 우수한 검사법으로 모든 기생충란 분리에 효과적이다. Formalin은 충란을 고정하며 ether는 찌꺼기를 제거하는 목적으로 사용된다. 분리할때 상층부터 ether-찌꺼기-formalin-충란 순서로 분리된다.

## 62
스카치 테잎 항문 주위 도말법:

주로 항문 주위에서 산란하는 요충란과 조충란을 진단하는 검사법으로 야간에 산란하기 때문에 오전에 검사를 시행한다. Toluene은 기포를 제거하고 검경시야를 넓히는 역할을 한다.

## 63
Ig D, Ig E, Ig G는 단량체이고 Ig M은 오량체, Ig A는 이량체이다.

## 65
간흡충은 간의 담관에서 기생하며 제1중간숙주는 왜우렁이고 제2중간숙주는 참붕어, 잉어, 은어 등이다.

실전모의고사
(실기편)
9회

# 9회  조직 · 세포병리검사

## 01

박절기에서 조직 블록과 경사각 사이의 각을 틈의각 (Clearance angle)이라고 하며 5~10°가 이상적이다. 뼈 또는 자궁 같이 딱딱한 조직은 15°가 적당하다.

## 02

Alcian blue stain:

pH2.5에서 카르복시화와 황산화 산성 점액물질 모두 염색되지만 pH1.0에서는 카르복실기가 이온화되지 않아서 고도로 황산화된 산성 점액물질만 염색된다.

## 03

Best carmine stain:

글리코겐의 OH기가 알칼리 용액 하에서 carmine 사이의 수소 결합에 의해 염색되어 글리코겐이 적색으로 염색된다.

## 04

Congo red stain:

Amyloid를 증명하는 특수염색 방법으로 가장 많이 사용된다. 간장, 심장, 췌장, 콩팥 및 비장에 존재하는 amyloid와 악성종양, 만성염증성질환등의 조직에 침착한 amyloid를 congo red 염료로 염색하여 연한 적색을 나타낸다.

## 05

Warthin-starry stain:

스피로헤타 염색법 중 하나로 Helicobacter pylori 검출에도 많이 이용하는 도은법이며 파라핀 절편을 사용한다.

## 07

- Fontana-Masson stain: 멜라닌 세포 동정을 위하여 은환원성을 이용한 염색법이다. 표피의 바닥층에 한줄로

나열된 바닥 세포의 세포질 안에 과립형태의 흑갈색 멜라닌이 존재한다.
- 피부 표피층의 배열 순서: 각질층 - 투명층 - 과립층 - 가시층 - 바닥층

## 12

Actinomyces(방선균):

자궁내 피임장치(IUD)를 사용한 여성에게 주로 관찰 가능하며 헤마톡실린에 청색으로 염색되며 양털 다발처럼 얇은 방사상의 필라멘트가 중앙에 얽힌 덩어리로부터 돌출된 모양을 보인다. 골반염을 일으켜 불임이나 자궁외임신을 초래하기도 한다.

## 13

Mycobacterium tuberculosis(결핵균):

결핵성 경관염을 일으키는 균으로 도말표본의 특징으로 랑그한스거대세포(Langhan's giant cell)의 출현이다. 이 세포는 커다란 세포질의 주변부에 C자형으로 핵 모양의 핵이 분포하는 특징이 있다.

## 14

Calymmatobacterium (Donovania) granulovnatis (카리마토박테리움 육아종):

서혜육아종증 성병을 일으키는 원인균으로 포식세포의 세포질 내에 안전핀 모양의 다수의 막대구조를 포함한 소엽들이 출현한다.

## 15

Gardnerella vaginalis (clue cell, 실마리 세포):

편평상피세포의 세포질 내에 구간균이 존재한다.

## 16

| Dysplasia/CIS | TBS |
|---|---|
| Negative | WNL (within normal limited) |
| | BCC (benign cellular change) |
| Squamous inflammatory | ASCUS (BCC보다는 abnormal이나 불확정한 상태) 미확정 비정형 편평세포 |
| HPV, mild dysplasia Koilocyte (공동세포) 출현 | LSIL (low squamous intraepithelial lesion) 저등급 편평상피내 병변 |
| Moderate, Severe dysplasia | HSIL (high squamous intraepithelial lesion) 고등급 편평상피내 병변 |

| Carcinoma in situ (상피내암, 초기암) | HSIL (high squamous intraepithelial lesion) 고등급 편평상피내 병변 |
| --- | --- |
| Invasive carcinoma (침윤성암, 기저막 침윤) | SCC (squamous cell carcinoma) 편평세포암종 |

## 9회 임상화학검사

| | | | | |
| --- | --- | --- | --- | --- |
| 17 ③ | 18 ④ | 19 ⑤ | 20 ⑤ | 21 ① |
| 22 ② | 23 ② | 24 ② | 25 ⑤ | 26 ① |
| 27 ③ | 28 ① | 29 ⑤ | 30 ④ | 31 ② |
| 32 ④ | | | | |

## 19
사진의 기구는 Kjeldahl flask로 질소를 정량할 때 사용한다.

## 20
Ammonia, blood gas, acid phosphatase, cholinesterase, bilirubin 등은 방치시 불안정하여 채혈 후 30분 이내에 검사해야 한다.

## 22
Sahli pipette:
TC(to contain) pipette으로 wash out pipette 이며 pipette 내에 들어있는 용량을 표시한다. 검정 시에 수은(Hg)을 사용한다. TC(to contain) pipette으로 Lambda pipette, Sahli pipette, Volumetric flask가 있다.

## 23
Spectrophotometer(분광광도계)
분광광도계의 구조: 텅스텐 광원 -> 필터 -> cuvette -> 광전관(detector) -> meter

## 24
사진의 기계는 Blood gas analyzer로 Heparin tube를 사용하는 것이 이상적이다.

## 25
X̄-R 관리도(Levey-Jennings chart):
분표의 평균치 변화를 확인하기 위해 사용하며 동일한 관리 혈청을 하루에 두 번 측정하여 평균치와 편차를 구한다. 관리도는 oulier(탈선), unrest(요동), shift(편재), trend(경향), upward shift, downward trend, upward trend, waring limit, action limit으로 각각 해설 할 수 있다.

## 26
정확도: 검사결과의 값이 얼마나 목표에 가까운가를 나타낸다.
정밀도: 검체를 반복하여 측정했을 때 모여진 검체가 얼마나 서로 가까이 있는지를 나타낸다.

## 27
위의 그래프에서 빨강색 부분은 분석결과 값이 지속적으로 상승하는 경우로 Trend(경향) 이라고 한다.
- Outlier(탈선): 한계선 밖으로 데이터의 점이 이탈 할 경우
- Unrest(요동): 평균치를 중심으로 데이터의 변동폭이 큰 경우
- Trend(경향): 분석결과 값이 6~7회 이상 지속적으로 상승하거나 하강하는 경우
- Upward Trend: 결과값이 점차 상승하는 경우
- Downward Trend: 결과값이 점차 하강하는 경우
- Shift: 분석결과 값이 6~7회 이상 평균을 벗어나서 한쪽으로 치우치는 경우
- Upward Shift: 결과값이 평균 위쪽으로 치우치는 경우
- Downward Shift: 결과값이 아래쪽으로 치우치는 경우
- Warning limit(경고 한계): ±2SD를 벗어난 경우
- Action limit(처치 한계: ±3SD

## 28

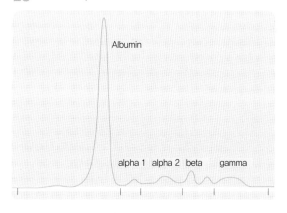

– 분획의 성분
① Albumin: Albumin
② α 1- globulin: α 1- fetoprotein, α 1-glycopro-tein, α 1-antitrypsin
③ α 2- globulin: α 2- macroglobulin, Haptoglobin, Ceruloplasmin
④ β- globulin: β-lipoprotein, Hemopexin, Trans-ferrin, Complement system
⑤ γ- globulin: Immunoglobulin

## 29
Proein을 Biuret 시약과 반응시키면 청자색 복합체가 발생한다.

## 30
사진은 bilirubin으로 출현 시 황달을 의심할 수 있다.

## 31
사진은 Calcium phosphate로 출현시 전립선 비대를 의심할 수 있다.

## 32
사진의 결정체는 Cholesterol로 편평한 유리 조각 모양으로 chloroform이나 ether에 용해되며 심한 단백뇨, 네프로제 증후군 등에서 관찰 가능하다.

## 9회 — 혈액학검사

| 33 ④ | 34 ④ | 35 ② | 36 ⑤ | 37 ④ |
| 38 ③ | 39 ④ | 40 ④ | 41 ① | 42 ④ |
| 43 ⑤ | 44 ⑤ | 45 ② | 46 ③ | 47 ⑤ |
| 48 ③ | | | | |

## 33
구형적혈구:
평균적혈구혈색소 농도가 높은 상태의 적혈구로 자가면역 용혈빈혈증이나 유전 구형적혈구증에서 관찰 가능하다.

## 34
타원적혈구:
유전성 타원적혈구증, 철결핍빈혈, 거대적모세포빈혈 등에서 확인 가능하다.

## 35
Döhle body (=Amato body)
· 호중구의 세포질 내에 청색으로 염색되는 불규칙한 봉입체 1~2개 출현(세포질 외각 부위에서 관찰)
· RNA 잔존물
· 폐렴이나 성홍열 같은 중증의 감염형에서 출현
 → 중증감염, 독성상태에서 관찰가능 : Toxic granule, Döhle body

## 36
혈소판(Thrombocyte, Platelet)
· 크기: 1~4㎛로 혈액세포 중 가장 작음, 원반형 또는 난원형
· 핵: 무핵(anuclear)
· 말초혈액에서 7~11일 정도 순환
· 거핵구 세포의 세포질 파편
·

## 37
Sex chromatin(=Barr body, Drum stick)
· 호중구 내의 작은 덩어리로 핵의 분엽 과정에서 돌출된 핵질
· 정상 여자의 분절핵 호중구에서 평균 2.5% 출현
· 정상 남자에서는 발견할 수 없으나 XXY 염색체를 갖는 klinfelter's syndrome 남자의 segmented neu-trophil에서 관찰
· XX염색체 중에서 어느 한 개의 염색체가 불활성화되어 나타남

## 38
형질구(Plasmocyte)
→ B세포로부터 분화한 것이라 림프구계에 속하지만 특징적인 형태로 인해 별개의 세포로 취급
· 크기 : 8~20㎛
· 핵 : 편재성이며 핵 주위에 핵주명정(halo) 명확하게 관찰, 핵소체 없음
      ↳ Lymphocyte와의 차이점
· 염색질 : euchromatin과 heterochromatin 뚜렷하게

나타남
- 세포질 : 풍부하고 담청색으로 염색

## 39
### Russell bodies (=fuchsin body)
- 형질구의 세포질 내에 붉은색으로 염색되는 봉입체 (현미경 관찰시 굴절률로 인해 하얗게 보임)
- 단백질 변성물
- 만성감염성 질환에서 출현

## 40
터너증후군의 핵형은 45, X 로 여성에게서 나타나는 성염색체 이상이다. 불임의 원인이기도 하다.

## 41
혈구계산반의 혈구계산실 깊이는 0.10 mm 이다.

## 42
위 사진의 기계는 PFA100으로 Platelet function testing 혈소판 기능 선별검사에 사용된다. 전혈을 검체로 사용하여 신속하고 간단하게 혈소판의 기능을 평가할 수 있다.

## 9회 임상미생물검사

| | | | | |
|---|---|---|---|---|
| 49 ① | 50 ① | 51 ② | 52 ③ | 53 ⑤ |
| 54 ⑤ | 55 ⑤ | 56 ③ | 57 ① | 58 ④ |
| 59 ④ | 60 ③ | 61 ③ | 62 ④ | 63 ② |
| 64 ④ | 65 ③ | | | |

## 49
### Mannitol salt agar:
Staphylococcus 중 병원성과 비병원성을 구분하는 배지로 7.5% 식염, phenol red, mannitol이 함유된다. Staphylococcus aureus 는 mannitol을 분해하여 황색을 띠고 Staphylococcus epidermidis는 mannitol을 비분해하여 적색을 띤다.

## 50
절대무산소성 배양:
절대혐기성 배양으로 산소와 저촉하면 사멸하는 균을 대상으로 배양한다. Anaerobic jar, Anaerobic glove box, Anaerobic chamber, GasPak 등이 있다. 사진은 GasPak으로 Bacteroides 배양에 사용된다.

## 51
### Oxidation-Fermentation test: 산화 환원 시험 (O-F test)
Staphylococcus와 micrococcus를 비교하는 검사로 Staphylococcus는 당을 발표적으로 사용하며 Micrococcus는 당을 산화적으로 사용한다. 검사 결과로 Staphylococcus는 당을 발효하여 모두 황색을 나타내고 Micrococcus는 당을 산화하여 광유를 덮은 튜브는 초록색, 덮지 않은 튜브는 황색을 나타낸다. 튜브 모두 초록색을 띠는 것은 당을 이용하지 않은 것이다.

## 52
6.5% NaCl broth에 배양 후 배지에서 혼탁이 관찰되면 장알균을 확인한다.

## 53
### Listeria monocytogenes:
실온 배양시 반고체 배지에서 우산 모양의 형태로 운동성을 확인할 수 있다. 혈액이나 뇌척수액에서 균이 주로 분포하고 그람양성 알막대균으로 무아포, 무협막 형태이며 편모 양성이다.

## 54
### Erysipelothrix rhusiopathiae:
그람 양성 막대균으로 catalase 음성, oxidase 음성, 비운동성, 무아포, TSI에서 $H_2S$ 양성의 특징을 보인다.

## 55
MacConkey agar에서 Klebsiella pneumoniae는 lactose를 분해하여 분홍빛의 점성 강한 집락이 형성된다.

## 56
### Haemophilus influenza:
X인자 V인자 모두 요구하는 균으로 배지에 균을 접종 후 staphylococcus aureus 집락 주변으로 Haemophilus

influenza 균이 발육되는 위성현상을 확인할 수 있다.

## 57

Haemophilus influenza는 X인자와 V인자 모두 요구한다.

## 58

Legionella pneumophila:

L-cystieine이 포함된 BCYE 배지에서 배양한다.

## 59

Epidermophyton floccosum은 곤봉상의 소분생자이다.

## 60

Vibrio cholera와 Vibrio alginolyticus는 TCBS 배지에서 sucros의 분해로 황색 집락을 형성한다. Vibrio 균종 중에 나머지 Vibrio parahaemolyticus, Vibrio mimicus, Vibrio vulnificus는 sucrose의 비분해로 TCBS 배지에서 녹색집락을 형성한다.

## 61

Microsporum canis:

SDA에서 솜털모양의 집락을 나타내며 대분생자는 크고 벽이 두껍다. 격벽에 의해 6~10개로 나뉜다.

## 62

스카치 테잎 항문 주위 도말법:

주로 항문 주위에서 산란하는 요충란과 조충란을 진단하는 검사법으로 야간에 산란하기 때문에 오전에 검사를 시행한다. Toluene은 기포를 제거하고 검경시야를 넓히는 역할을 한다.

## 63

HIV 감염보균자의 혈액 속 특정 단백질(P24)이 항원이다.

## 64

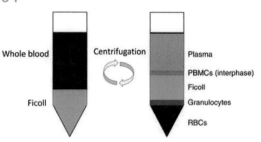

## 65

광절열두조충은 소장에서 기생하며 제1중간숙주는 물벼룩과 갑각류이며 제2중간숙주는 연어, 송어, 담수어 등이다.

실전모의고사
(실기편)
10회

| 01 ② | 02 ① | 03 ③ | 04 ③ | 05 ① |
| 06 ③ | 07 ③ | 08 ⑤ | 09 ② | 10 ⑤ |
| 11 ② | 12 ② | 13 ② | 14 ② | 15 ② |
| 16 ④ | | | | |

## 01

윌슨병으로 인해 구리(cu)가 침착된 환자에게 조직화학적으로 검출할 수 있는 염색법이다. Rubeanic acid stain과 Rhodanine stain이 있다.

## 02

Bielschowsky 도은법으로 신경원섬유를 확인할 수 있다.

## 03

Von kossa stain:
조직 내의 탄산이온과 인산의 검출로 칼슘을 확인할 수 있는 방법이다. 흑색으로 염색된 부위가 칼슘이다.

## 06

Fouchet reaction(푸세 반응):
간의 담즙색소 검출법으로 빌리루빈이 녹색의 빌리비딘으로 형성되어 관찰할 수 있다. 담즙 색소 염색법에는 Gmelin reaction, Stein reaction, Fouchet reaction이 있다.

## 07

Prussian blue stain:
$Fe^{3+}$을 증명할 수 있는 염색법으로 조직절편에 Prussian blue 용액을 첨가하면 $Fe^{3+}$이 유리되며 이 유리된 물질이 Potassium ferrocyanide와 반응하여 청색의 불용성 화합물이 형성된다.

## 09

중층편평상피세포:
식도점막, 구강 등에 분포

## 13

Candida albicans(캔디다증):
캔디다증은 면역부전, 당뇨, 임신, 암 말기 등에서 발생하는 기회감염으로 전신 장기를 침범하며 후막포자를 형성하는 특징을 보인다.
질염의 대표적 원인 중 하나이고 후막포자와 함께 세포질의 공포화, 핵의 비대, 핵주위 투명대, 비정형 핵의 이상 등의 특징을 보인다.

## 14

Herpes simplex virus(HSV, 단순포진 바이러스):
다핵세포이며 두꺼운 핵막을 갖고 핵 밀착의 특징을 갖는다. 염색질 관립의 증가 상태로 핵 내 호산성 봉입체가 출현하며 젖빛 유리모양을 나타낸다.

| 17 ④ | 18 ④ | 19 ③ | 20 ③ | 21 ⑤ |
| 22 ② | 23 ② | 24 ④ | 25 ⑤ | 26 ① |
| 27 ③ | 28 ① | 29 ⑤ | 30 ② | 31 ② |
| 32 ④ | | | | |

## 17

용혈된 검체로 측정이 거의 불가능한 항목은 GOT, GPT, LDH, ALP, Potassium, Magnesium, Cholesterol, Iron, Acid phosphatase 등이다.

## 18

사진은 Serological pipette으로 일정량의 수용액을 분주하거나 희석 혈청을 옮길때 사용한다.

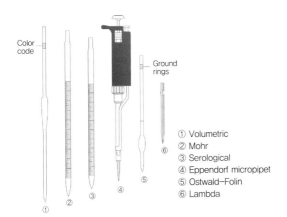

① Volumetric
② Mohr
③ Serological
④ Eppendorf micropipet
⑤ Ostwald-Folin
⑥ Lambda

## 19
Spectrophotometer(분광광도계)

분광광도계의 구조: 텅스텐 광원 → 필터 → cuvette → 광전관(detector) → meter

## 20
경구 포도당 부하실험
(standard oral glucose tolerance test):

공복 상태에서 혈당과 요당을 측정한 후 glucose를 경구 투여 후 각각 30분, 60분, 120분, 180분 후의 혈당과 요당을 측정하는 검사이다.

## 21
정확도: 검사결과의 값이 얼마나 목표에 가까운가를 나타낸다.
정밀도: 검체를 반복하여 측정했을 때 모여진 검체가 얼마나 서로 가까이 있는지를 나타낸다.

## 22
위의 그래프에서 동그라미 친 부분은 평균치를 중심으로 했을 때 데이터의 변동폭이 큰 경우로 Unrest(요동)이라고 한다.
- Outlier(탈선): 한계선 밖으로 데이터의 점이 이탈 할 경우
- Unrest(요동): 평균치를 중심으로 데이터의 변동폭이 큰 경우
- Trend(경향): 분석결과 값이 6~7회 이상 지속적으로 상승하거나 하강하는 경우
- Upward Trend: 결과값이 점차 상승하는 경우
- Downward Trend: 결과값이 점차 하강하는 경우
- Shift: 분석결과 값이 6~7회 이상 평균을 벗어나서 한쪽

으로 치우치는 경우
- Upward Shift: 결과값이 평균 위쪽으로 치우치는 경우
- Downward Shift: 결과값이 아래쪽으로 치우치는 경우
- Warning limit(경고 한계): ±2SD를 벗어난 경우
- Action limit(처치 한계: ±3SD

## 24

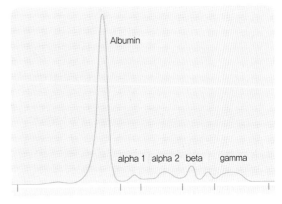

- 분획의 성분
① Albumin: Albumin
② $\alpha$ 1- globulin: $\alpha$ 1- fetoprotein, $\alpha$ 1-glycoprotein, $\alpha$ 1-antitrypsin
③ $\alpha$ 2- globulin: $\alpha$ 2- macroglobulin, Haptoglobin, Ceruloplasmin
④ $\beta$- globulin: $\beta$-lipoprotein, Hemopexin, Transferrin, Complement system
⑤ $\gamma$- globulin: Immunoglobulin

## 25
pH 8.6의 Barbital buffer (veronal buffer)가 가장 많이 사용된다.

## 26
Proein을 Biuret 시약과 반응시키면 청자색 복합체가 발생한다.

## 27
Jaffe 반응은 creatinine과 alkaline picrate를 반응시켜 생성되는 creatinine picrate를 520nm에서 비색정량 하는 검사이다. 종말색은 orange-red를 나타낸다.

## 30
갈색의 과립색소로 hemosiderin이 관찰된다.

## 31

tyrosine으로 간질환시 관찰 가능하다.

## 32

Bence Jones protein:

골수에 생성되는 것으로 Bence Jones protein가 출현하는 질환은 다발성 골수종이 대표적이며 혈중 amyloid증, 악성 림프종 등이 있다.

## 10회　혈액학검사

| | | | | |
|---|---|---|---|---|
| 33 ③ | 34 ① | 35 ⑤ | 36 ③ | 37 ① |
| 38 ① | 39 ⑤ | 40 ③ | 41 ④ | 42 ③ |
| 43 ④ | 44 ⑤ | 45 ③ | 46 ③ | 47 ② |
| 48 ③ | | | | |

## 33

입모양적혈구:

유전성입모양적혈구증, 알코올성간장애, Rh null증후군 등에서 주로 관찰 가능하다,

## 34

눈물적혈구:

적혈구 모양이 눈물 모양으로 Heinz body가 비장에서 제거될 경우, 골수섬유증, 수외조혈, 암이 골수전이 등에서 확인 가능하다.

## 35

Chediak- Higashi-Steinbrink anomaly

* 과립구와 비과립구 세포질 내에 다양한 색의 과립 출현
* 백피증(albinism) 동반하는 삼염색체성 열성 유전질환에서 관찰가능
  * → 유전병이라 주로 어릴 때 나타남
* Peroxidase 염색 양성, PAS염색 양성, acid phosphatase염색 양성

## 36

Alder-Reilly anomaly

* 유전성 질환
* 분엽핵 백혈구의 세포질 내에 나타나는 연한 자색 혹은 azurophilic granules
* granulocyte, monocyte, lymphocyte에서 관찰
* Peroxidase 염색 음성, PAS염색 양성
* 유전성 mucopolysaccharide (산성점액다당류) 축적 환자의 백혈구에서 관찰 가능
→ 뮤코다당류의 선천성 대사 이상

## 37

Hypersegmentation (핵의 과분절)

* 호중구의 핵이 6개~10개의 다수로 분절된 상태
* 거대적아구성 빈혈에서 많이 출현

## 38

해설은 37번 문제를 참고하시기 바랍니다.

## 39

Pelger-Hüet anomaly

* 분엽핵 백혈구의 핵이 분절되지 않아 peanut, clumbbell 모양으로 농축되어 아령 또는 땅콩 모양
* 유전적 핵 이상
* 골수성 백혈병, Fanconi's syndrome, 전염성단핵구증, 중증의 점액수종, 골수화생, 무과립증, 골수독성 화학요법 등에서 출현

## 40

다발성골수종

- 골수 중 이상 형질세포가 다발성으로 출현하는 특징
- 골수상 형질세포 증가
- 적혈구의 심한 연전현상
- 적혈구 침강속도 증가
- 면역글로불린의 증가
- 혈청의 전기영동시 m-spike 출현

## 41

사진은 골수천자용 needle로 주로 후 장골 능(iliac crest)에서 실시하며 18개월 미만의 유아에서는 tibia 에서 실시한다. 악성 종양의 골수 전이 여부를 판정하는데 사용되며 각종 질환 및 염증의 진단에도 사용된다.

## 46

Hemoglobin(혈색소) 1.0g/dL를 올리기 위해서는 400ml RBC 1단위가 필요하다.

## 47

사진은 신선동결혈장으로 해동 후 3시간 이내에 사용해야 한다. 다만, 1~6℃ 보관하는 경우 24시간까지 사용 가능하다.

사진의 혈액제제는 신선동결혈장으로 보존은 -18℃에서 보존하며 채혈 후 1년동안 보존할 수 있다. 해동 후 3시간 이내에 사용 가능하다.

〈개정 2018. 11. 19.〉

### 혈액제제의 보존기준 (제12조관련)

| 제제종류 | 보존온도 | 보존기간 | 비고 |
|---|---|---|---|
| 1. 전혈 | 1~6℃ | CPDA 보존액: 채혈 후 21일<br>CPDA-1 보존액: 채혈 후 35일<br>ADD/M(SAG/M) 보존액:<br>채혈 후 35일 | |
| 2. 농축적혈구 | 1~6℃ | 전혈과 동일 | |
| 3. 신선동결혈장 | -18℃이하 | 채혈 후 1년 | 해동 후 3시간 이내 사용. 다만, 1~6℃보관하는 경우 24시간까지 사용가능 |
| 4. 농축혈소판 | 20~24℃ | 제조 후 120시간 | 보관시 교반 필요 |
| 5. 백혈구 제거 적혈구 | 1~6℃ | 제조 후 24시간 폐쇄형은 전혈과 동일 | |
| 6. 백혈구 여과제 거 적혈구 | 1~6℃ | 폐쇄형 여과는 전혈과 동일, 개방형 여과는 제조 후 24시간 | |
| 7. 세척적혈구 | 1~6℃ | 제조 후 24시간 | |
| 8. 동결해동 적혈구 | -65℃이하 동결, 해동 후 1~6℃ | 제조 후 10년, 개방형은 세척 후 24시간, 폐쇄형은 세척 후 10일 | |
| 9. 농축백혈구 | 20~24℃ | 제조 후 24시간 | |
| 10. 혈소판풍부 혈장 | 20~24℃ | 제조 후 120시간 | 보관시교반필요 |
| 11. 백혈구여과 제거 혈소판 | 20~24℃ | 폐쇄용 여과는 농축혈소판과 동일 개방형 여과는 제조 후 24시간 | 보관시교반필요 |
| 12. 세척혈소판 | 20~24℃ | 제조 후 4시간 | |
| 13. 신선액상혈장 | 1~6℃ | 제조 후 12시간 | |
| 14. 동결혈장 | -18℃이하 | 채혈 후 1년 | 해동 후 3시간 이내사용. 다만, 1~6℃보관하는 경우 24시간까지 사용가능 |
| 15. 동결침전제제 | -18℃이하 | 채혈 후 1년 | 해동 후 1시간 이내사용. 다만, 20~24℃보관하는 경우 6시간까지 사용가능 |
| 16. 동결침전물제 거혈장 | -18℃이하 | 채혈 후 1년 | 해동 후 3시간 이내 사용. 다만, 1~6℃보관하는 경우 24시간까지 사용가능 |
| 17. 성분채혈 적혈구 | 1~6℃ | 채혈 후 35일 | 혈액첨가제 사용 시 |
| 18. 성분채혈 백혈구 | 20~24℃ | 채혈 후 24시간 | |
| 19. 성분채혈 소판백혈구 | 20~24℃ | 채혈 후 24시간 | 보관시 교반 필요 |
| 20. 성분채혈 혈소판 | 20~24℃ | 제조 후 120시간 | |
| 21. 백혈구여과제 거성분채혈 혈소판 | 20~24℃ | 제조 후 120시간 | 보관시 교반 필요 |
| 22. 성분채혈혈장 | -18℃이하 | 채혈 후 1년 | |

## 48

가: anti-A시약
나: anti-B시약

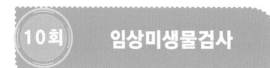

**10회　임상미생물검사**

| | | | | |
|---|---|---|---|---|
| 49 ④ | 50 ② | 51 ① | 52 ⑤ | 53 ③ |
| 54 ② | 55 ① | 56 ① | 57 ④ | 58 ③ |
| 59 ③ | 60 ⑤ | 61 ④ | 62 ⑤ | 63 ① |
| 64 ④ | 65 ③ | | | |

## 50

절대무산소성 배양:

절대혐기성 배양으로 산소와 저촉하면 사멸하는 균을 대상으로 배양한다. Anaerobic jar, Anaerobic glove box, Anaerobic chamber, GasPak 등이 있다.

## 51

Oxidation-Fermentation test:

산화 환원 시험 (O-F test)

Staphylococcus와 micrococcus를 비교하는 검사로 Staphylococcus는 당을 발효적으로 사용하며 Micrococcus는 당을 산화적으로 사용한다. 검사 결과로 Staphylococcus는 당을 발효하여 모두 황색을 나타내고 Micrococcus는 당을 산화하여 광유를 덮은 튜브는 초록색, 덮지 않은 튜브는 황색을 나타낸다. 튜브 모두 초록색을 띠는 것은 당을 이용하지 않은 것이다.

## 52

Mycobacterium tuberculosis(결핵균)은 3% ogawa 고형배지, 1% ogawa egg 고형배지, Lowenstein-Jensen egg 고형배지, 한천배지, 액체배지 등에서 배양하며 사진의 3% ogawa 고형배지에서는 malachite green을 포함하는데 잡균제거의 목적으로 사용되며 glycerin은 건조방지를 위해 포함된다.

## 53

Actinomyces Israelii:

BHI medium에서 배양시 어금니 모양의 집락을 형성하며 배지에 포도당이나 혈액을 첨가할 때 잘 발육한다. Catalase 음성, 비운동성, 무아포, indole 음성, esculin 음성을 나타낸다.

## 55

발육인자로 X인자는 Hemin과 Hematin이 함유되고 V인자는 NAD인자를 포함한다.

## 56

Clostridium perfringens:

난황배지(Egg York agar)에서 lecithinase(α-toxin) 활성에 의하여 침강대가 형성된다.

## 57

Clostridium perfringens:

무산소성 그람양성 막대균, 가스괴저균, BAP 배지에서 $\alpha$, $\beta$- 이중용혈을 보인다.

## 58

Clostridium tetani:

파상풍균, 그람양성 막대균으로 단재성 아포, 주모성 편모가 존재함

## 60

Corynebacterium diphtheriae:

디프테리아균, 그람양성 막대균의 이염소체를 염색하여 관찰 가능하다. 보통 배지에서는 잘 자리지 않고 혈액이나 혈청을 첨가한 배지에서 잘 자란다. Potassium tellurite blood agar, Tinsdale agar를 선택배지로 사용하여 Loeffler혈청배지를 분리배지로 사용한다. Potassium tellurite blood agar에서 tellurite를 환원하여 흑색 집락을 형성한다.

## 61

쥐조충란:

황갈색의 구형 또는 타원형 모양으로 외막과 내막 사이가 넓다. 난각이 두껍고 3쌍의 갈고리 있는 육구유충을 내포한다. 왜소조충란과 형태가 유사한데 왜소조충란은 내부에 극사가 존재한다.

## 62

피내반응검사:

간흡충과 폐흡충 진단시 사용되는 검사로 위양성 반응이 잘 나타나며 치료 후에도 오랜 시간 양성이 나타난다. 집단검사, 역학검사의 목적으로 사용된다.

## 63
### 면역 글로불린 분자구조

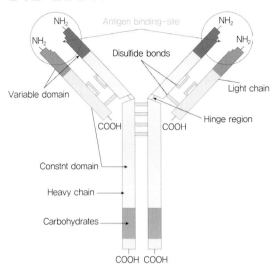

## 65
일본주혈흡충은 자웅이체이지만 자웅동체처럼 보인다.